LA SAUVAGE *suivi de* L'INVITATION AU CHATEAU

ŒUVRES DE JEAN ANOUILH

aux Éditions de La Table Ronde.

L'ALOUETTE.
ANTIGONE.
ARDÈLE OU LA MARGUERITE.
CÉCILE OU L'ÉCOLE DES PÈRES.
L'HURLUBERLU OU LE RÉACTIONNAIRE AMOUREUX.
MÉDÉE.
ORNIFLE OU LE COURANT D'AIR.
PAUVRE BITOS OU LE DINER DE TÊTES.
LA VALSE DES TORÉADORS.
BECKET OU L'HONNEUR DE DIEU.

THÉATRE COMPLET :

PIÈCES BRILLANTES.
PIÈCES GRINÇANTES.
PIÈCES NOIRES.
NOUVELLES PIÈCES NOIRES.
PIÈCES ROSES.
PIÈCES COSTUMÉES.

Parus dans Le Livre de Poche :

LE VOYAGEUR SANS BAGAGES
suivi de LE BAL DES VOLEURS.
LE RENDEZ-VOUS DE SENLIS *suivi de* LÉOCADIA.

JEAN ANOUILH

La Sauvage

suivi de

L'Invitation au Château

LA TABLE RONDE

LA SAUVAGE

PERSONNAGES

THÉRÈSE

FLORENT
HARTMAN
GOSTA

M. TARDE
MADAME TARDE
JEANNETTE
MARIE
MADAME BAZIN

LA VENDEUSE
LA PETITE ARPÈTE
LA FEMME DE CHARGE
LA FILLE DE CUISINE

M. LEBONZE
LE GARÇON

PREMIER ACTE

Une salle de café de ville d'eaux. Décor médiocre
et prétentieux. La scène est presque entière-
ment occupée par l'estrade de l'orchestre.
D'un côté la porte de l'office, que les garçons
poussent du pied, les bras chargés de leur
plateau.

Trois tables en scène. La première, près de
l'estrade, sert aux musiciens; elle est couverte
de musique, de boîtes d'instruments; les deux
autres sont vides; l'une d'elles a ses chaises
renversées pour marquer qu'elle est retenue.

Le reste de la salle est invisible. Au mur un système de glaces qui multiplie l'orchestre et
donne la profondeur du café.

L'orchestre se compose du pianiste : Gosta; du
contrebassiste : M. Tarde; de la violoncel-
liste : Mme Tarde; des premier et second
violons : Thérèse et Jeannette.

Quand le rideau se lève, l'orchestre est en train
d'achever un morceau très brillant. Le garçon
écoute près de l'estrade; à la fin du morceau
quelqu'un appelle le garçon au fond. Il se
précipite, essuyant une table au passage.

LE GARÇON

Voilà, monsieur!

> *Les musiciens posent leurs instruments. Quelques*
> *bravos vite morts.*

JEANNETTE, *jetant un coup d'œil à la table vide*
à côté de l'estrade.

Il est en retard, aujourd'hui.

THÉRÈSE, *posant son violon.*

Il m'avait prévenue. Il est allé chercher son impresario au train de dix heures et demie...

JEANNETTE

Tu n'as pas peur qu'il ne revienne pas, quelquefois?

THÉRÈSE

Il y a des soirs où j'ai peur.

JEANNETTE

Parce que tu sais, à moi aussi on me l'a promis, le mariage. Le tout est d'arriver jusqu'à monsieur le maire...

THÉRÈSE

Je suis déjà si heureuse, que si on n'arrivait pas jusque-là...

JEANNETTE

Attention... Attention... N'aie jamais l'air de croire que tu peux n'être que sa maîtresse. Et puis, quand vous sortez ensemble, tiens-toi, ma petite. Car il y a une chose qu'il ne faut pas que tu oublies : c'est que dans ta position on n'est jamais assez distinguée.

Thérèse éclate de rire.

JEANNETTE *continue, imperturbable.*

Pour le reste, laisse faire. Ne lui en parle pas tout le temps. Non, ça les agace. Mais, par exemple, parle des à-côtés, de ton trousseau, des meubles...

THÉRÈSE *rit encore.*

Tu penses que je vais l'ennuyer avec ça!

JEANNETTE

C'est indispensable, ma petite... Toutes celles qui sont passées par là te le diront. La grande Louise, elle, elle avait un autre truc quand elle a réussi à se faire prendre par son ingénieur du gaz. Tu sais ce qu'elle faisait? Elle caressait la tête des gosses dans la rue en soupirant qu'elle en voudrait bien un pareil... Lui qui adorait les enfants, il en pleurait dans sa moustache. Elle l'a eu de cette façon. Ça n'empêche rien. Après elle a refusé d'en avoir.

THÉRÈSE rit encore.

Ecoute, Jeannette. tu perds ton temps. Pour moi, je t'assure que ce n'est pas du tout le même problème. S'il veut m'épouser, tant mieux! S'il ne le veut pas...

M. TARDE passe avec la musique
et reprend le dernier morceau.

Allons, allons, faisons vite. Il est minuit. Nous allons jouer le finale.

Il accroche une pancarte n° 12 et écrit le titre à la craie sur une grande ardoise.

GOSTA a regardé l'heure. Il va à Thérèse.

Il est minuit, Thérèse...

THÉRÈSE, sans comprendre.

Oui.

GOSTA lui donne quelque chose.

Tiens. Ne le montre pas.

THÉRÈSE

Qu'est-ce que c'est?

GOSTA

Regarde.

THÉRÈSE défait le paquet, étonnée.

Un flacon de parfum?

GOSTA

Oui.

THÉRÈSE

Mais... pourquoi?

GOSTA

Tu as vingt ans ce soir, Thérèse. Il n'y a que moi qui me le rappelle, ici...

THÉRÈSE balbutie.

J'ai vingt ans, justement ce soir?

GOSTA, souriant.

Demain, mais il est minuit.

THÉRÈSE

Oh! Tu es gentil, Gosta! Justement ce soir, tu sais... Je voulais te dire...

TARDE s'est approché. Il les interrompt.

Gosta, où as-tu mis la partition du finale? Impossible de la retrouver... Vite, M. Lebonze vient d'arriver.

Il l'entraîne.

JEANNETTE

Qu'est-ce que c'est?

THÉRÈSE

Un flacon de parfum. Il est gentil... Je n'ai pas encore osé lui dire. C'est pourtant moi qui devrais lui parler.

JEANNETTE

Mais puisque ton père a dit qu'il s'en chargeait.

THÉRÈSE

Il va s'y prendre si bêtement.

JEANNETTE

Qu'est-ce que tu veux, tout le monde n'est pas forcé d'avoir deviné. Il ne l'a dit à personne qu'il était amoureux de toi!

THÉRÈSE

Non, le pauvre.

JEANNETTE

Et ta mère, qu'est-ce qu'elle dit?

THÉRÈSE

Oh! ma mère, tu sais, pour le garder, elle ferait n'importe quoi... J'ai peur de me retourner. Ils lui parlent?

LA COPINE, qui a jeté un coup d'œil.

Non, ils se concertent. Gosta est au fond, il cherche sa musique.

THÉRÈSE

Oh! J'aime mieux ne pas être là.

Elle crie à M. Tarde.

Papa, je sors une minute.

Elle lui fait signe d'approcher.

Tu lui dis?

TARDE

C'est mon devoir! Ne reste pas trop long-temps, le patron est dans la salle.

Il revient vers sa femme tandis que Thérèse sort.

Se douterait-il de quelque chose, il a l'œil mauvais?

MADAME TARDE

Non. Il ne se doute de rien encore. Mais il faut le mettre au courant avant que M. Florent vienne chercher Thérèse. Il serait capable de faire un esclandre.

TARDE

A l'orchestre?

MADAME TARDE

Bien sûr.

TARDE

Cela ne se serait jamais vu.

MADAME TARDE

Justement. Sois prudent. Si on attendait d'avoir joué le morceau?

TARDE

Non... Je préfère lui dire et donner aussitôt le signal d'attaquer. C'est la « Marche de Tannhäuser », il passera ça sur le clavier. J'y vais.

Il fait un pas vers Gosta, revient.

Il était de bonne humeur au dîner?

MADAME TARDE

Pas très.

TARDE

Ah!

Il se redresse.

Après tout, je ne sais vraiment pas pourquoi nous aurions peur de lui annoncer cela! Qui est le maître ici?

MADAME TARDE

Je ne sais pas.

TARDE

Comment tu ne sais pas? Qui est ton mari, le directeur de cet orchestre, le père de Thérèse?

MADAME TARDE

En principe, toi.

TARDE

Comment, « en principe »? Je serai ferme.

MADAME TARDE

Fais comme tu veux, mais s'il te donne un mauvais coup, ne t'étonne pas.

TARDE

Un mauvais coup!... Un mauvais coup! Mais il faut être logique, sapristi! Est-ce que nous avons à le consulter pour marier notre fille? A quel titre?

MADAME TARDE

Aucun. Mais cela peut ne pas l'empêcher de t'assommer.

TARDE

M'assommer... M'assommer... Il exagère à la fin, ce garçon. Voilà treize ans que je ferme les yeux sur sa liaison avec toi. Qu'est-ce qu'il veut, à présent?

MADAME TARDE

Tu sais comme moi qu'il tient à la petite

TARDE

Toute la famille alors? Je suis dans mon droit. Rien ne me fera reculer.

MADAME TARDE

Méfie-toi.

TARDE

Je te dis que je suis dans mon droit.

MADAME TARDE

Oui, mais tu sais comme il est violent; méfie-toi quand même.

TARDE

Alors cela ne sert plus à rien d'être dans son droit, maintenant?

GOSTA, qui est revenu du fond.

J'ai la partition. On commence?

TARDE soupire.

On va commencer.

Il revient à Mme Tarde.

Combien a-t-il bu d'apéritifs?

MADAME TARDE

Un seul.

TARDE

Bon.

Il va résolument à Gosta.

Alors, vous l'avez retrouvée cette « Marche de Tannhäuser »?

GOSTA

Oui.

TARDE toussote, puis se met à ranger nerveusement les partitions sur les pupitres.

Vous avez lu dans les journaux cette affaire Sisnéros?

GOSTA

Oui.

TARDE

Douze morts! C'est épouvantable!

Mme Tarde tousse et lui pousse le coude.

Ah! oui. Au fait! On vous a dit pour la petite?

Gosta lève la tête.

Pour la petite? On ne m'a rien dit.

TARDE, *à Mme Tarde.*

Tu ne lui as pas dit?

MADAME TARDE

Non.

TARDE

Mais il fallait lui dire, que diable! Explique-le-lui donc. Je vais chercher Thérèse. Je vois M. Lebonze qui s'impatiente.

MADAME TARDE le retient.

Non. Reste!

GOSTA s'est levé inquiet, il va vers eux.

Qu'est-ce que vous vouliez me dire au sujet de la petite?

TARDE

Eh bien, voilà... Hum!...

MADAME TARDE

Oh! rien de grave, tu sais...

GOSTA les regarde

Vous allez mentir tous les deux.

A Mme Tarde.

Toi, tu as ta bouche de travers comme lorsque tu sens des coups dans l'air.

MADAME TARDE

Tu es fou, qu'est-ce que tu racontes?

TARDE rit jaune.

Il est fou, complètement fou. Des coups dans l'air! Quels coups dans l'air? Je me demande un peu.

GOSTA

Qu'est-ce que vous lui voulez à la petite?

TARDE affirme bêtement.

Mais rien, rien du tout.

Il devient grave.

Si, quelque chose, je l'oubliais : son bien! Vous savez, le célèbre maître France... le compositeur... celui qui a donné un récital le mois dernier au Casino...

GOSTA

Oui. Eh bien?...

MADAME TARDE

Ce monsieur brun qui est venu ici plusieurs fois et qui a parlé à Thérèse, c'est lui...

GOSTA

Elle le connaît?

TARDE

Oui. Dans les villes d'eaux, on se lie vite...

MADAME TARDE

Il est très gentil, tu sais, Gosta...

TARDE

Et puis il n'y a pas à sortir de là, c'est un maître, un maître universellement admiré...

GOSTA

Qu'est-ce que vous allez me dire? Je n'aime pas quand vous faites cette tête-là, tous les deux. Nous en étions à Florent France. Parlez.

TARDE, qui recule.

Gros talent.

GOSTA

Je sais.

TARDE

C'est un de ces hommes qui nous ont fait notre réputation à l'étranger.

GOSTA le prend par la cravate.

Mais vas-tu parler, enfin!

TARDE, reculant.

Pas de gestes à l'orchestre, Gosta, pas de gestes à l'orchestre!

MADAME TARDE, pendue au bras de Gosta.

C'est le bonheur de la petite, Gosta. Il faut l'assurer avant tout... Il va l'épouser, tu comprends, il va l'épouser, c'est inespéré!...

GOSTA la repousse, sans lâcher Tarde.

Ah! Je m'en doutais! Lâche-moi, toi. Il y a assez longtemps que vous essayez de la vendre à quelqu'un, il fallait que cela réussisse un jour ou l'autre... Tu dois toucher quelque chose, toi, là-dessus, hein?

Il le secoue.

TARDE

Mais vous êtes fou, Gosta, à l'orchestre!... Si M. Lebonze arrivait...

GOSTA

Je lui dirais quelle fripouille tu es et je te flanquerais la rossée que tu mérites devant lui.

TARDE essaie de se redresser.

Mais c'est insensé! Après tout, qui est le maître ici?

MADAME TARDE

Elle l'aime, Gosta, celui-là, je te le jure!...

GOSTA

C'est une gosse! vous lui avez fait miroiter l'argent qu'elle pourrait avoir, un argent dont elle n'a même pas envie, parce qu'elle vaut mieux que vous... Et c'est toi, vieux débris...

TARDE secoué

Qui est le maître, ici?

JEANNETTE a couru appeler à la porte du vestiaire.

Thérèse! Thérèse! vite!

GOSTA qui tient Tarde à bout de bras.

Vieille loque... Je voudrais t'écraser par terre, comme un ver... C'est cela, essaie d'être digne. Arrange ta cravate.

TARDE pleurnichant.

Mais enfin, sacrebleu, qui est le maître ici?

THÉRÈSE est revenue en courant.

Veux-tu le lâcher, Gosta! Tu ne sais pas ce que tu dis. Personne ne m'a forcée à l'épouser. Je l'aime.

GOSTA a lâché Tarde, il la regarde.

Pourquoi ne me l'as-tu pas dit?

THÉRÈSE

Je ne te l'ai pas dit parce que...

Elle s'arrête, gênée.

Je ne sais pas pourquoi je ne te l'ai pas dit.

M. LEBONZE fait irruption, sa serviette sous le bras.

Alors, c'est pour aujourd'hui ou pour demain, ce finale?

TARDE

Pardon, monsieur Lebonze. Tout de suite. Gosta, à ta place!

Il glapit soudain, ridicule et prétentieux.

Le travail avant tout! Le travail avant tout!

GOSTA, imobile, pâle, les poings serrés.

Tu vas te taire?

TARDE, plus doucement sous son regard.

Le travail avant tout. Je ne dis rien de mal.

THÉRÈSE, plus doucement.

Va au piano, s'il te plaît, Gosta. Je t'expliquerai.

Gosta se détourne brusquement et va au piano.

M. LEBONZE

Mais ma parole, vous commencez à en prendre à votre aise, tous!...

TARDE

Nous attaquons, monsieur Lebonze, nous attaquons! Vous y êtes? Une, deux, trois...

Attaque du morceau.

M. LEBONZE

Ce n'est pas trop tôt! Et tâchez que cela ne se renouvelle pas, ces petites histoires-là.

Il s'éloigne majestueusement, après avoir rangé une chaise et donné en passant un coup de chiffon sur une table. Les répliques suivantes sont échangées rapides, pendant le morceau, sans cesser de jouer.

MADAME TARDE

Tu vois, idiot, tu vois, tu n'as pas su t'y prendre...

TARDE

Pas su m'y prendre? Mais si, je n'ai rien pris.

Il pouffe, puis sévère.

S'il recommence, je sévis.

Musique.

MADAME TARDE soupire.

Pourvu qu'il ne me quitte pas. Tu ne crois pas qu'il va me quitter?

TARDE

Ah! ça!... J'ai fermé les yeux pendant treize

ans, mais s'il ne veut plus me bafouer, **tu** ne penses pas que je vais le retenir?

MADAME TARDE

Tu es un lâche!

TARDE

Tu me l'as déjà dit!

MADAME TARDE

Je te méprise, tu entends, je te méprise!

TARDE

Tu ferais mieux de jouer en mesure!... Rendez-vous au point d'orgue!

MADAME TARDE

Lâche! Lâche!

TARDE

Et les dièses, c'est pour demain?

MADAME TARDE

Cocu! vieux cocu!

TARDE

A qui la faute?

Soudain souriant.

Attention, le voilà.

> Florent est entré avec Hartman. Tarde salue sur
> sa contrebasse.

Maître...

> Mme Tarde minaude. Thérèse a un petit sourire,
> mais ne bouge pas. Hartman et Florent se
> sont assis l'un près de l'autre sur la banquette.
> Ils regardent l'orchestre.

FLORENT

Eh bien, Hartman?

HARTMAN

Ce n'est pas la blonde...

FLORENT a un petit rire.

Non. Bien sûr.

> Un silence.

HARTMAN

Le père, c'est le bonhomme à la contrebasse?
Il est inouï!...

FLORENT

Et la mère au violoncelle.

HARTMAN, après les avoir considérés en souriant.

Vous êtes un garçon extraordinaire, Florent,
d'épouser cette petite malgré ces deux person-

nages. Cette petite qui ne l'exigeait pas, je présume?

FLORENT

Elle est ma maîtresse.

HARTMAN

Vous l'aimez?

FLORENT, riant.

Cela me paraît une bonne explication.

HARTMAN met ses grosses lunettes d'écaille
et regarde attentivement Thérèse.

Elle est jolie, bien sûr, mais... Je suis un peu votre vieux mentor, Florent. Vous êtes sûr que ce n'est pas une bêtise?

FLORENT

Sûr! Moi qui ne suis sûr de rien, j'ai pour la première fois une certitude absolue. Quelle chose merveilleuse!...

HARTMAN

Et votre travail?

FLORENT

Vous avez bien fait de venir me chercher. Depuis un mois, bien entendu, je ne fais rien.

HARTMAN

Si. Vous perdez beaucoup d'argent. J'ai déjà payé pour soixante mille francs de dédits.

FLORENT

Et si je vous disais que je n'ai pas touché une seule fois mon piano?

HARTMAN

Diable!

Il regarde encore Thérèse derrière ses grosses lunettes d'écaille.

Elle est très jolie, bien sûr.

FLORENT, doucement.

Je l'aime, Hartman.

HARTMAN

Je commence à le croire.

Il écoute un instant, fait la grimace.

En tout cas, elle joue terriblement mal du violon.

FLORENT sourit.

C'est vrai. Mais cela m'est égal. Je ne l'emmène pas pour la faire jouer du violon... Je l'emmène pour être heureux toute ma vie, avec elle.

HARTMAN

C'est vrai?

FLORENT

Vous dites exactement les mots que je pro-
nonce tous les matins en m'éveillant : c'est
vrai? Et je me réponds bien vite : c'est vrai.

HARTMAN, souriant.

Et c'est vrai?

FLORENT

Je ne serais pas capable de me mentir tous les
matins.

HARTMAN soupire après un silence.

Mon Dieu, qu'elle joue mal...

FLORENT

Elle joue mal, Hartman, mais elle m'aime
bien...

HARTMAN

Elle vous l'a dit?

FLORENT

Jamais. Mais quand nous sommes seuls, elle
se frotte la tête contre moi comme une petite
chèvre. Elle me regarde — tout au fond des

yeux, comme elle dit... Elle prétend qu'avec
moi il n'y a pas besoin d'être très bonne plon-
geuse... qu'on atteint tout de suite le fond. C'est
vrai, Hartman?

HARTMAN, après avoir regardé Thérèse un moment.

Quelle chance que celle que vous aimez soit
évidente et claire comme vous, Florent...

FLORENT
Pourquoi?

HARTMAN

Pour rien, ce serait trop long et trop difficile
de vous répondre... D'ailleurs, je me suis promis de ne jamais vous parler de cela. Il ne faut
pas qu'un doute vous effleure. Vous êtes charmant, Florent, et vous la rendrez sûrement
heureuse...

FLORENT

Hartman, je vous somme de parler! Vous me
cachez quelque chose. Je sens que vous allez
m'apprendre que je suis un monstre sans m'en
douter.

HARTMAN sourit.
Peut-être.

FLORENT
J'ai un vice que j'ignore? Dites tout, Hart-

man, j'ai le droit de savoir... je suis à la veille
de me marier!

HARTMAN

Une sorte de vice, oui.

FLORENT

Son nom?

HARTMAN

Il en a plusieurs : la clarté, l'intelligence, la
facilité, la chance aussi...

FLORENT éclate de rire.

Eh bien, mais tout cela me paraît charmant!...

HARTMAN

C'est charmant. Mais je tremblais que vous
aimiez un jour une fille soupçonneuse, exigeante, tourmentée. Quel bonheur qu'elle soit
aussi claire que vous!...

M. et Mme Tarde en jouant font des mines à Florent.

Les parents sont magnifiques. Le reste de
l'orchestre n'a pas l'air mal non plus. Qu'est-ce
que cela lui a fait ce contact?

FLORENT

Ce que tout fait avec elle : un miracle. Cela
aurait pu lui donner de la crapulerie, cela ne

l'a parée que de force, de franchise, d'une sorte
de virilité. De sa liberté, des amants qu'elle a
eus avant moi, elle a fait cette pureté sans
masque ni retenue. Vous verrez, elle vous éton-
nera.

HARTMAN le regarde parler avec volubilité, il sourit.
   Elle commence à m'étonner à travers vous...

FLORENT

La pauvreté aussi aurait pu la rendre mes-
quine ou avide, elle ne lui a donné que le déta-
chement du luxe. Hartman! elle n'a jamais
voulu que je lui donne de l'argent pour
s'acheter quelque chose. Elle coud ses robes elle-
même et se met de la mauvaise poudre, elle ne
veut même pas que je lui fasse un cadeau. Elle
est pauvre comme un petit rat. Vous la verrez
tout à l'heure, mais il ne faudra pas rire, elle se
confectionne elle-même d'incroyables petits cha-
peaux.

HARTMAN

Mais, si vous l'épousez, elle va se laisser nourrir et habiller, tout de même?

FLORENT sourit.

Je l'espère. Je n'en suis pas très sûr. Hier,

pour la première fois, elle a accepté de l'argent pour acheter des valises. Mais il a fallu que je me fâche... Elle serait bien venue avec ses deux robes dans un carton. Cela doit vous plaire?

HARTMAN le regarde avec un bon sourire maintenant.

Allons, je lui pardonne ses fausses notes...

Il soupire.

Dire que vous aurez tout réussi, Florent, même votre amour...

FLORENT

J'ai de la chance.

HARTMAN

Presque trop.

FLORENT

On n'a jamais trop de chance.

HARTMAN

Quelquefois.

Le morceau est terminé. Thérèse descend vite de l'estrade et court à Florent qui se lève et va à sa rencontre.

THÉRÈSE

Comme vous êtes venu tard, aujourd'hui!

FLORENT

Bonsoir, ma petite sauvage.

THÉRÈSE montre le café en riant.

Vous avez entendu ces pauvres bravos. Et les voilà qui se sauvent tous. Cela ne vous arrive pas, à vous.

FLORENT rit avec elle.

Ces gens-là n'aiment pas la musique.

Il la tient devant lui par les épaules.

Allons vite. l'interrogatoire. Vous avez pensé à moi, aujourd'hui?

THÉRÈSE

Tout le temps.

FLORENT

Vous n'avez pas dit à d'autres que vous m'aimiez?

THÉRÈSE

Si, à mon amie. Je n'ai pas pu me retenir.

FLORENT

Thérèse!... Et jamais à moi.

THÉRÈSE, à son oreille.

A toi je ne veux jamais le dire. Mais si je ne

le disais pas de temps en temps aux autres, cela
m'étoufferait.

FLORENT

Et pas d'arrière-pensée?

THÉRÈSE

Toutes des pensées de devant. Dans mes yeux,
sur mes lèvres.

Elle les tend un peu, il demande doucement.

FLORENT

Devant eux?

THÉRÈSE

C'est personne, eux!

Il se penche, elle le repousse; elle a un coup d'œil
à Gosta.

Non, pas tout de suite.

FLORENT

Pourquoi?

THÉRÈSE

Je vous dirai.

Gosta est descendu de l'estrade; il a pris son chapeau, il est passé devant eux, sans un mot,
sans un regard, il est sorti. Florent prend par
le bras Thérèse — qui regarde Gosta sortir —
et l'emmène à Hartman.

FLORENT

Je vous présente Hartman. Ce n'est que mon ami, mais quand nous nous rencontrons avec des hommes d'affaires, il fait semblant d'être mon impresario parce qu'il est beaucoup plus fort que moi.

THÉRÈSE

Il me regarde avec des yeux terribles. Il ne va peut-être pas m'aimer?

FLORENT

Si. J'en suis sûr. Mais il m'a dit qu'il avait peur que j'aime une fille soupçonneuse, exigeante, dure... En ce moment, il se demande si vous êtes tout cela. Eh bien, le résultat de l'examen, Hartman?

HARTMAN

Dix-neuf. Elle est reçue avec mention.

FLORENT

Vous êtes songeur. J'ai menti?

HARTMAN a pris la main de Thérèse.

Vous ne mentez jamais, Florent. Thérèse est parfaite. Thérèse est la seule fille au monde qui vous méritait. Mais ces yeux-là sont bien bril-

lants, ce petit front bien bombé pour tant de
facilité. Il faudra l'aimer fort.

THÉRÈSE retire sa main de celle d'Hartman.
Pourquoi dites-vous cela?

FLORENT

Il me trouve un monstre. Il me croit incapable de rendre quelqu'un heureux.

THÉRÈSE

Il ne vous connaît sûrement pas.

FLORENT

Si, depuis longtemps. C'est ce qui est grave.

THÉRÈSE

Pas comme moi.
A Hartman.

Moi, je l'ai regardé dormir près de moi; je
l'ai écouté rêver tout haut en se retournant. Eh
bien, même dans son royaume de la nuit, je suis
sûre de lui.

HARTMAN

Et de vous, vous êtes sûre?

THÉRÈSE, comme une enfant interrogée.
Oui, monsieur.

HARTMAN

Vous croyez qu'il ne vous fera jamais de mal?

THÉRÈSE

Il est la bonté même.

HARTMAN

Et cela ne vous fait pas peur de rencontrer la bonté même, l'intelligence, la joie mêmes? Vous êtes courageuse.

THÉRÈSE, soudain troublée.

Pourquoi me dites-vous cela?

FLORENT

Hartman est un vieux radoteur. Il ne faudra jamais l'écouter, Thérèse.

> M. et Mme Tarde, qui, avec force clins d'yeux, étaient restés sur l'estrade à ranger les instruments, se sont rapprochés, obséquieux, se frottant les mains.

MADAME TARDE

Bonjour, monsieur Florent. Alors, c'est demain matin que vous allez me prendre ma petite?

FLORENT

Oui, madame.

MADAME TARDE

Le vilain, le vilain!

TARDE

Voyez comme la vie est bizarre... Je ne suis qu'un pauvre homme, maître, et pourtant je vous donne un trésor...

MADAME TARDE

Un trésor chéri qu'il est dur de perdre, allez!

M. LEBONZE entre en criant.

Mais certainement, certainement, cher monsieur : tout ce que vous voudrez!

Bas à Tarde.

Le client du fond vient de commander deux nouvelles bouteilles. dont une pour l'orchestre. Ne remballez rien. Je vais lui demander ce qu'il veut qu'on lui joue.

Il sort.

JEANNETTE s'assoit de mauvaise humeur.

Ça, c'est un coup de deux heures du matin!

TARDE, qui déballe sa musique, très excité.

Oui, mais du champagne!...

JEANNETTE

Oh! on la connaît! on lui comptera du brut et on nous servira du mousseux.

M. LEBONZE réapparaît

Contrordre. Vous pouvez tous partir, sauf Gosta. Il ne veut plus d'orchestre, seulement du piano. Il veut qu'on lui joue le Clair de Lune de « Werther » au piano. Il pleure. Il dit que ça lui fera penser à sa femme.

TARDE

C'est que, justement, Gosta... Nous avons eu une petite dispute... Je crois qu'il est déjà parti...

M. LEBONZE

Est-ce que vous vous fichez de moi? J'avais dit que personne ne bouge!

Au garçon.

Cours me le chercher, toi. Il doit être monté dans sa chambre.

LE GARÇON

Bien, monsieur Lebonze! Mais si vous vouliez aller le calmer, le client... Il dit que si on ne lui joue pas tout de suite le Clair de Lune de

« Werther » au piano, il va autre part se le faire jouer... Il dit qu'il ne peut plus attendre.

M. LEBONZE, s'en allant, congestionné.

Bon Dieu! Je vous jure que si Gosta n'est pas là dans cinq minutes, je vous flanque tous dehors demain matin.

TARDE tombe, assis.

C'est la catastrophe! J'ai honte devant vous, maître, d'une telle désorganisation de cet orchestre. Nous avons eu des félicitations partout. Mais c'est un emporté, un brutal. Il s'est mis en colère.

Le garçon rentre en même temps que M. Lebonze.

M. LEBONZE

Alors?

LE GARÇON

C'est fermé chez lui, on ne répond pas.

THÉRÈSE, à Florent.

Il n'y a que moi qui peux le décider. Une minute. Viens, Jeannette...

Elles sortent.

M. LEBONZE

C'est bon! Moi, je n'ai pas de temps à perdre

en supplications. Prends ma voiture et ramène-
moi le pianiste du Royal.

A Tarde.

Quant à vous, vous pouvez plier bagages.
J'aurai un autre orchestre demain.

TARDE

Monsieur Lebonze, monsieur Lebonze, je suis
père de famille!...

M. LEBONZE

Je m'en fous!

FLORENT s'avance.

Ecoutez, je crois que je peux arranger cela.
Je vais lui jouer le morceau qu'il demande...

M. LEBONZE

Vous savez jouer seulement?

FLORENT

Oui, un peu.

A Tarde.

Est-ce que vous avez la musique du Clair de
Lune de « Werther »?

M. LEBONZE maugrée.

Bou!... Cela se prétend un pianiste et cela ne connaît pas le Clair de Lune de « Werther » par cœur!... C'est bon, jouez, puisqu'il n'y en a pas d'autre.

A Tarde.

Mais si le client n'est pas content, vous pouvez emballer vos pupitres.

Il sort.

TARDE

Oh! maître... Je ne sais comment vous remercier... daigner, dans cet établissement... à mon orchestre...

MADAME TARDE, qui est allée chercher la musique.

Tenez, monsieur Florent, la partition... Oh! vous pouvez vous vanter d'être gentil, vous!...

HARTMAN, qui monte avec Florent sur l'estrade jette à Tarde en passant.

D'habitude, mon vieux, c'est vingt mille francs.

TARDE, écroulé.

Vingt mille francs!... A mon orchestre.

THÉRÈSE revient avec Jeannette.

Il n'est pas chez lui. Le plongeur dit qu'il l'a vu partir vers la plage. Mais qui est-ce qui joue?

TARDE se redresse.

Le maître Florent France, à mon orchestre.

THÉRÈSE

Mais tu es fou, papa!... Tu l'as laissé...

TARDE

Il a insisté, et tu sais combien cela me coûte ce remplacement... Enfin combien cela pourrait me coûter : vingt mille francs.

THÉRÈSE

Oh! j'ai honte... j'ai honte...

TARDE

Ah! ça, mais pourquoi?

THÉRÈSE

Pour cet homme soûl, dans ce café... Tu aurais dû l'empêcher...

TARDE

Tu es une sotte. Je vais voir si M. Lebonze est content.

Il sort en se frottant les mains.

THÉRÈSE *regarde jouer Florent un moment.*
Elle murmure.

Florent... C'est drôle de le voir jouer là...

Un temps, elle rêve.

Au fond, j'aurais bien voulu qu'il fasse partie de l'orchestre et que je me sois mise à l'aimer en jouant à côté de lui.

JEANNETTE, *qui range son violon dans sa boîte.*

Tu veux rire?

THÉRÈSE

Non... Oh! je sais bien que je peux arriver à ne plus penser à son argent... Mais ce n'est pas toujours très facile.

JEANNETTE *ricane dans son coin.*

Pauvre chou, va!

THÉRÈSE

S'il était pauvre et malheureux, c'est drôle, il me semble qu'il serait davantage à moi... Ce serait un peu comme s'il était redevenu petit. Je pourrais le prendre contre moi, lui caresser doucement la tête, lui dire : « Ne sois pas triste, moi, je suis là, moi, je t'aiderai... »

JEANNETTE, qui a mis son chapeau
puis sa boîte à violon sous le bras.

Des malheureux, tu en trouveras d'autres, ne
t'inquiète pas. En attendant, profite de celui-là
puisque tu le tiens.

Elle va à Thérèse, l'embrasse.

Au revoir, Thérèse. J'espère qu'on se reverra
tout de même demain. Mais un conseil, entre
nous. Fais-toi acheter des diamants, tous les
diamants que tu pourras, ma petite. C'est
encore ce qui se revend le mieux.

THÉRÈSE

Pourquoi me dis-tu cela?

JEANNETTE, sortant.

Pour rien, pour rien. Bonne chance tout de
même.

MADAME TARDE

Qu'est-ce qu'elle était en train de te raconter?
Méfie-toi d'elle, c'est une traînée. Et surtout
ne sors jamais avec elle et Florent. Elle serait
capable de te le soulever.

THÉRÈSE hausse les épaules.

C'est idiot ce que tu dis.

MADAME TARDE

Ah! ma petite, tu ne connais pas les hommes.
Quand une femme qui sait s'y prendre s'offre
à eux...

Thérèse hausse les épaules.

MADAME TARDE continue, lorgnant Florent.

Surtout un délicieux garçon comme lui. Quel
joli geste, hein, d'avoir voulu jouer? C'est un
ange... Comme tu vas être heureuse, gâtée,
comblée.

Elle soupire.

Ah! c'est un homme comme cela que j'aurais
voulu, moi! J'ai beaucoup de déceptions avec
Gosta, tu sais... Quand tu ne vas plus être là,
qui sait s'il ne va pas me quitter? Enfin, ton
bonheur avant tout.

Elle soupire, s'approche.

Laisse-moi t'embrasser, tiens! Nous n'aurons
peut-être plus l'occasion d'être seules. Tu es ma
petite fille, après tout. C'est le soir d'un mariage
que cela se sent, ces choses-là.

THÉRÈSE se dégage un peu.

D'abord, ce n'est pas encore un mariage...
Ensuite, tu sais que les accès de tendresse étaient
plutôt rares entre nous...

MADAME TARDE

C'est justement; ce soir, tout s'est amassé. Cela déborde! Ma petite... ma petite...

THÉRÈSE la repousse.

Non, pas de comédie.

MADAME TARDE

Comme tu es dure. Les mères pourtant, tu devrais le savoir, ont le cœur tendre. Et puis, un tel soir... Il y a des recommandations qu'elles doivent faire.

Elle prend une mine de circonstance.

Sois bien douce, laisse-toi faire, n'aie pas peur.

THÉRÈSE

Allons. Allons. Tu sais bien que je ne suis pas une petite fille... Cesse d'être ridicule. Je t'en prie.

MADAME TARDE la fait taire, affolée.

Tu ne lui as pas dit, au moins?

THÉRÈSE

Tu penses bien que si.

MADAME TARDE, furieuse.

Oh! Et s'il ne voulait plus de toi, idiote!

THÉRÈSE sourit.

Enfin, voilà un mot de toi!

MADAME TARDE

C'est une affaire inespérée! Je ne te cache pas
que je n'aurais pas cru qu'il t'épouserait. Em-
brasse-moi.

THÉRÈSE

Encore! mais où veux-tu en venir?

MADAME TARDE

Avec les relations qu'il a, il faut qu'il te fasse
une situation de premier plan. Ne renonce pas
à ton art : dans un an, tu dois être une vedette.

THÉRÈSE, doucement.

Je crois qu'il trouve que je joue mal.

MADAME TARDE

Cela ne fait rien, cela ne fait rien. Il te fera
travailler. Ou bien, il peut te faire faire du
théâtre. J'ai toujours dit que tu avais un très
joli filet de voix. Quoi qu'il en soit, ne le laisse
pas une minute qu'il ne t'ait lancée. Quand une

fille comme toi a une pareille chance, elle doit
en profiter jusqu'au bout. Cela ne dure pas
longtemps, crois-moi. Et, pourtant, j'étais plus
jolie que toi.

THÉRÈSE essaie de s'éloigner.

Laisse-moi, veux-tu, maintenant...

MADAME TARDE la rattrape.

Attends un peu, voyons, attends un peu...
Comme tu es nerveuse... Je voulais te dire... Tu
sais dans quelle situation nous sommes; tu sais
aussi comme ton père est avare et comme il me
laisse peu d'argent. Tu peux avoir l'occasion de
me rendre service, sans qu'il s'en doute, naturellement...

THÉRÈSE tremble un peu.

Qu'est-ce que tu vas me dire, toi aussi?

MADAME TARDE

Oh! rien, trois fois rien. J'ai attendu ce soir
parce que ce n'était pas la peine de t'ennuyer
avant, et puis, je n'étais pas tout à fait d'accord
pour la commission... Voilà, j'ai été voir Vinteuil, tu sais, le grand joaillier de l'avenue de
la Plage. Tout ce qu'il y a de mieux, ma petite,

une succursale à Londres, une à Paris. Bref, je
lui ai tout dit.

THÉRÈSE a pâli.

Comment? qu'est-ce que tu lui as dit?

MADAME TARDE

Eh bien, que tu te mariais et richement.

THÉRÈSE

Oh! mais tu n'aurais pas dû! Je t'avais
défendu..

MADAME TARDE

Au fond, qu'est-ce que cela peut te faire? Il
faudra bien qu'on le sache un jour. Alors voilà.
Il va t'acheter une bague, sans doute. Qu'est-
ce que cela pourrait te faire de dire : « J'en ai
vu une que j'aime chez Vinteuil. » Attends, attends. Il y a justement un « diamant et perles »
de toute beauté. Mais, attends donc! Vinteuil
en veut vingt-cinq mille. Je lui ai dit que si tu
disais que tu en avais envie depuis longtemps, il
pouvait certainement en demander trente. Si ton
fiancé marchande, bien entendu, il baissera,
mais il m'a promis la différence.

THÉRÈSE s'est reculée, raidie.

Oh! Tu me dégoûtes.

MADAME TARDE change de ton.

Je te dégoûte! Je te dégoûte! Allons, ne fais pas la mijaurée, tu ne l'as jamais été à ce point. Ce n'est pas maintenant que tu as établi ta situation que tu vas commencer à le devenir. Qu'est-ce que ça peut lui faire à lui avec sa fortune, deux ou trois mille francs de plus ou de moins et, pour moi, c'est inespéré!

THÉRÈSE

Et tu croyais que j'allais accepter de le tromper?

MADAME TARDE

Mais puisqu'il n'en saurait rien!

THÉRÈSE

Mais même s'il n'en sait rien, surtout s'il n'en sait rien!

Elle s'est pris la tête entre ses mains.

Mais qu'est-ce que vous vous croyez donc, tous?...

TARDE entre en trombe, très excité.

J'ai une proposition formidable à te faire! Le père Lebonze n'en revient pas de savoir qui tape en ce moment sur son vieux Gaveau.

MADAME TARDE, avec un coup d'œil complice
à Thérèse.

Penses-y, Thérèse, en te rappelant tout ce que
je t'ai sacrifié. Mais c'est entre nous, n'est-ce
pas?

Elle s'éloigne.

TARDE, inquiet, quand elle est sortie.

Qu'est-ce qu'elle t'a dit? Tu sais que tu devrais te méfier d'elle; ce n'est pas une mauvaise
femme, mais elle est bornée... Dis-moi, poulette.
Sur la suggestion du père Lebonze, il m'est venu
une idée magnifique... Il suffirait que tu
retardes ton départ de deux jours, ce n'est pas
le diable. Ne m'interromps pas avant de savoir.
Voilà. Tu n'ignores pas que nous devons donner à la fin de la saison un concert au bénéfice
de l'orchestre. Bon. A l'occasion de ton départ,
M. Lebonze accepte d'en avancer la date. Tu
me suis?

THÉRÈSE

Oui, papa.

TARDE, qui n'est pas très sûr de lui.

Parfait, fifille. Hé bien, voilà. C'est une
affaire qui pourrait nous rapporter beaucoup
d'argent à tous les deux. (Je te ristournerai
naturellement ta part.) Tu me suis? Bon. Voilà :

c'est une idée qui m'est venue en voyant ton
fiancé à ce piano... Crois-tu que tu ne pourrais
pas à l'occasion de ce concert d'adieux en lui
disant que cela t'évoque des souvenirs, que, par
tendresse pour lui, tu aimerais le voir là, sur
cette estrade où tu as si longtemps travaillé...
et c'est tout naturel, tu es tellement sentimen-
tale! (tout comme moi d'ailleurs). Ne pourrais-
tu pas, dis-je, le décider, à titre gracieux bien
entendu, à venir jouer un petit morceau ou deux
avec nous. En famille! Cela serait tellement
gentil!

THÉRÈSE balbutie.

Toi aussi alors, toi aussi...

TARDE

Comment, moi aussi? Ta mère en a déjà eu
l'idée?

THÉRÈSE

Va-t'en, va-t'en! Je ne veux même pas te
répondre... Mais qu'est-ce que vous croyez tous?
Qu'il est une machine à vous faire gagner de
l'argent, qu'il faut que je ne pense qu'à son
argent?

TARDE

Qu'est-ce que tu veux, quand on est pauvre!...

THÉRÈSE

Mais on ne peut donc pas cesser de s'en occuper une fois de cet argent?

TARDE

On le voudrait, mais c'est bien difficile. Allons,
ne fais pas la sotte, tu es aussi commerçante que
moi.

THÉRÈSE crie.

Ce n'est pas vrai! Vous avez essayé de me
l'apprendre, mais pas avec lui!

TARDE

Tais-toi donc. Tu as préféré la combine de
ta mère parce qu'elle peut te rapporter davantage. Combien t'offre-t-elle?

THÉRÈSE

Va-t'en.

TARDE

Pas avant qu'on se soit mis d'accord.

THÉRÈSE se sauve, prête à pleurer.

Mais va-t'en, je t'en supplie...

TARDE la poursuit.

Combien t'offre ta mère? Moi, je te donne

les trois quarts; tu vois que je ne suis pas exigeant...

THÉRÈSE a couru à l'estrade,
elle interrompt Florent, se jette dans ses bras.

Florent! Florent! Allons-nous-en.

FLORENT

Qu'est-ce qu'il y a, Thérèse?

THÉRÈSE s'accroche à lui.

Partons, dites, s'il vous plaît, partons vite que je ne les voie plus.

LE GARÇON entre, poussant Gosta devant lui.

Le voilà. Je vous donne en mille où je l'ai retrouvé? Sur un banc, au bout de la jetée...

M. LEBONZE accourt en criant.

Ah! vous voilà, vous! C'est comme ça que vous foutez le camp quand on a besoin de vous? C'est bon! c'est bon! les excuses, moi ça m'est égal. On reparlera de tout cela demain.

A Florent.

Laissez-moi vous remercier, monsieur. Si, si... On a beau ne pas s'y connaître, c'est du talent. Est-ce que Thérèse vous a parlé du petit projet que...

THÉRÈSE, vite.

Oui. Oui. Tout à l'heure.

M. LEBONZE

Pensez-y! Cela peut être intéressant pour vous comme pour moi.

Il lui tend la main.

Allons, merci encore. Et excusez-moi, monsieur, mais, dans la limonade, il faut être debout à six heures du matin... Je vais dormir.

Il serre les mains et, en partant, au garçon.

Tu peux te dépêcher de ranger tes chaises, toi. Tu n'es pas en avance non plus. Et éteins les grands lustres, en attendant.

Il sort. La fin de l'acte sera jouée dans une lumière changée, au milieu des chaises que le garçon va entasser sur les tables autour de l'estrade pour préparer le terrain au balayeur.

THÉRÈSE, doucement, à Gosta
qui les regarde, immobile.

Gosta. Tu m'aimes bien, n'est-ce pas? Je suis heureuse ce soir... Je voudrais que tout le monde soit heureux avec moi. Je te présente M. Florent France, tu sais, le compositeur. C'est Gosta, Florent, un vieux camarade que j'aime fort.

FLORENT

Alors je suis très heureux de le connaître...

Il lui tend la main, Gosta ne la prend pas.

Pourquoi ne voulez-vous pas me serrer la main?

GOSTA, brusquement.

Qu'est-ce que vous lui voulez à cette petite?

Il va sur Florent.

MADAME TARDE crie.

Gosta!

TARDE crie aussi.

C'est insensé!

GOSTA

Qu'est-ce que vous lui voulez à cette petite?

Il a pris Florent aux revers.

FLORENT se dégage et le repousse.

Mais vous êtes fou! Qui êtes-vous?

GOSTA

Rien. Je ne suis rien! Rien qu'un pauvre type qui l'a vue grandir et devenir ce qu'elle est et qui ne voudrait pas qu'elle devienne une putain maintenant.

MADAME TARDE crie encore.

Gosta, mon chéri!

THÉRÈSE, doucement, toute pâle.

C'est mal, tu sais, Gosta, c'est mal. Tu ne sais que penser cela, toi aussi. Il est riche, mais ce n'est pas ma faute s'il est riche.

GOSTA

Non, bien sûr, ce n'est pas ta faute! Mais comme par hasard toi qui n'aimais personne, c'est lui que tu aimes...

THÉRÈSE

Mais ce n'est pas ma faute si je l'aime!

GOSTA

Non, bien sûr. C'est ton instinct. Je te croyais propre, mais tu reniflais l'argent avec ton sale petit museau comme les autres. Seulement, toi, tu te réservais pour quelqu'un de vraiment riche, voilà tout...

THÉRÈSE crie soudain, angoissée.

Mais enfin qu'est-ce que vous avez tous? Je l'aime, je l'aime, je l'aime...

GOSTA crie aussi.

Bien sûr, tu l'aimes... On en est tous sûrs que tu l'aimes!... Il est riche d'abord, comment veux-tu ne pas l'aimer?

THÉRÈSE, d'une pauvre voix.

Oh! tu es odieux. Va-t'en.

GOSTA

C'est bon, c'est bon, ne t'impatiente pas. On va tous s'en aller. On va te débarrasser le plancher. On n'est plus bons pour toi, maintenant. Ah! là là! Ah! là là! qui l'aurait dit que toi aussi...?

Il s'est écroulé sur une chaise, la tête dans ses mains.

THÉRÈSE murmure.

Oh! C'est bête...

MADAME TARDE, à Gosta.

Tais-toi, mon chéri, tais-toi. Tu sais bien que quand tu te mets en colère tu es malade pendant huit jours...

THÉRÈSE

Emmène-le, maman. Va-t'en, Gosta, je t'en supplie. Tu es fou, tu sais.

GOSTA, pendant que Tarde et Mme Tarde
essaient de l'entraîner.

Je suis fou. C'est cela, je suis fou. C'est ce
qu'il y a de plus commode... Je suis fou...

MADAME TARDE

Mon pauvre gros chéri. Ne fais pas ces yeux,
allons, viens...

Elle l'embrasse.

Oui, je sais, tu as mal, je sais...

Ils ont réussi à le faire sortir.

FLORENT

Mais quel est cet homme?

TARDE, qui est revenu.

C'est un pensionnaire récalcitrant. En qualité
de directeur de cet orchestre, je m'excuse...

THÉRÈSE

Laisse-nous, toi aussi.

TARDE a un geste.

Soit. Je te charge de m'excuser.

Il sort.

THÉRÈSE, vite, sans regarder Florent

C'est un musicien d'ici. Il joue depuis long-

temps avec papa. Il m'a vue grandir, il m'aime
beaucoup. Il est simple, violent. Il s'est figuré
qu'on m'avait poussée, que je ne vous aimais
pas, que je me donnais à vous pour votre argent.
C'est pour cela qu'il criait.

FLORENT

Mais votre mère...

THÉRÈSE

Oui, je ne pensais pas vous apprendre cela
aussi, tout de suite. Maman l'a appelé « mon
chéri ». C'est une vieille situation. C'est son
amant — depuis longtemps.

FLORENT

Je vous demande pardon, Thérèse.

THÉRÈSE, vite.

Il ne faut pas.

MADAME TARDE revient, minaudant.

Je vous dérange encore, les amoureux... Il est
calmé, il est calmé. Que voulez-vous? C'est un
vieux fou! Il va se coucher et cela ira mieux.
Je venais chercher mon sac, j'ai des cachets d'as-
pirine, cela lui fera du bien. Ah! les hommes
sont terribles, cher monsieur, tous les mêmes!

Je le chantais déjà à l'âge de Thérèse, quand
j'ai débuté au café-concert.

Elle chante avec des mines, tout en cherchant son sac :

« Qu'est-ce qui n'a
Son ocarina
C'est Nana
Oui, Nana qui n'a
Son Nono
Son ocarino
Son nana
Son ocarina... »

Mais où l'ai-je mis, ce sac? Au vestiaire, peut-
être?

Elle sort.

FLORENT, après un temps, à Thérèse, glacée.

Il me tarde de vous emmener, de vous sortir
d'ici. De vous sortir d'eux, Thérèse.

THÉRÈSE, comme une somnambule.

Oui.

FLORENT

Vous verrez comme vous serez bien dans ma
maison.

THÉRÈSE, sans ton.

Oui, je serai bien.

FLORENT

Ma sœur est claire et pure comme vous. Elle sera votre amie. Ma tante, vous verrez, est la plus ravissante vieille dame de la terre.

On entend la chanson à côté.

« Qu'est-ce qui n'a
Son ocarina
C'est Nana,
Oui, Nana qui n'a »

Mme Tarde passe et s'en va avec un sourire et un petit bonsoir en finissant de chanter.

« Son Nono
Son ocarino
Son Nana
Son ocarina. »

THÉRÈSE court à la porte qu'elle a laissée ouverte et s'y adosse. Elle crie.

Je la cache, je la cache vite! Elle est laide, hein? Elle est vulgaire quand elle chante ces obscénités, et puis cette histoire d'amant...

FLORENT

Oui, Thérèse, mais cela a si peu d'importance. Nous effacerons tout cela.

THÉRÈSE

Vous croyez que vous pourrez?

FLORENT, ferme, souriant.

Oui, ma chérie.

THÉRÈSE crie soudain.

Mais ne soyez donc pas si fier de votre force,
si sûr de vous!

Un petit temps.

Pardon, Florent, mais si vous saviez comme
elle est horrible; mon père aussi. Si je vous
racontais toutes les histoires que je sais.

FLORENT l'a prise dans ses bras.

Tu trembles, Thérèse. Tu me les as pourtant
fait voir sans honte depuis un mois.

THÉRÈSE

Jusqu'à tout à l'heure — c'est drôle — je ne
savais pas. J'étais innocente. C'est eux qui
viennent de m'apprendre cela aussi.

FLORENT

Quoi, cela?

THÉRÈSE

Ce que j'étais, ce que vous étiez.

FLORENT s'agenouille, lui tient les jambes.

Oh! ma folle!... Mais je ne suis rien que ton

amant, ton amant à genoux devant toi, qui es
un miracle bien plus étonnant, je te l'assure,
que l'argent et la bonne éducation. On ne t'a
donc jamais dit que c'était toi qui étais riche?
Je suis pauvre, Thérèse; regarde-moi. Donne-
moi un petit sou.

THÉRÈSE a un petit geste retenu.

Comme vous êtes gentil et habile. Relevez-
vous. Tout à l'heure je croyais que j'étais quelque chose, oui, malgré votre argent. Je l'ai dit
à la fille qui joue avec moi, elle a bien ri. Je la
comprends maintenant.

FLORENT

Ma sotte. Comment une fille, comme toi, si
libre, si fière, pourrait-elle être atteinte, une
minute, par une histoire d'argent?

THÉRÈSE secoue la tête avec un petit sourire triste.

Pas seulement d'argent. Non, Florent... Tout
à l'heure vous m'auriez sûrement consolée.
Maintenant, votre façon même de le faire, si
délicate, si juste, me blesse un peu.

FLORENT

Je ne te comprends plus, ma chérie.

THÉRÈSE

Oui. C'est drôle. Moi non plus, je ne me comprends plus très bien. Tout à l'heure, quand vous avez voulu vous battre avec ce pauvre Gosta. je savais que vous étiez plus fort que lui avec votre air de fille. J'aurais dû être fière de vous puisque je vous aime. Je vous ai presque détesté d'être aussi le plus fort de cette façon. D'être toujours le plus fort.

FLORENT sourit.

Mon petit sot! voilà que tu m'en veux parce que je suis fort maintenant?

Veux-tu que je provoque ce garçon de café et qu'il m'assomme pour que tu m'aimes?

THÉRÈSE, qui tremble un peu.

Vous avez raison de rire. Ce sont des bêtises, n'est-ce pas, Florent? Je vous aime pareil, dites? Je vous mérite, je vous ressemble, dites? Je ne suis pas comme eux?

FLORENT

Non, Thérèse, je te le jure.

THÉRÈSE

Mais vous avez honte à cause d'eux?

FLORENT
Pas une ombre de honte, ils me font rire.

THÉRÈSE
Qu'est-ce que j'ai alors? dites qu'est-ce que j'ai? Je ne suis pas heureuse de la même façon.

FLORENT la tient.
Mon petit... mon pauvre petit. Tout te fait mal.

Il l'embrasse; entrent les Tarde.

TARDE
Couple délicieux!

MADAME TARDE
Ah! vous me rappelez mes vingt ans!

FLORENT, un peu gêné, s'est détaché de Thérèse.

TARDE
Embrassez-la donc! Embrassez-la donc! La petite est tout à vous.

MADAME TARDE
Pour qui nous prenez-vous, cher monsieur? Nous sommes entre artistes. D'ailleurs, moi aussi, je suis une bête d'amour.

THÉRÈSE crie.

Maman!

TARDE

Son bonheur, nous n'avons jamais pensé qu'à son bonheur! Nous ne sommes pas des parents comme les autres...

Il ajoute après un coup d'œil à Mme Tarde.

Hum!... La seule question, nous vous l'avouons, c'est ce départ brusque qui, du point de vue professionnel...

FLORENT

Mais vous allez prendre une autre violoniste pour la remplacer? Il n'en manque pas.

TARDE

Certes, certes, mais la question n'est pas là, hélas! elle plaisait beaucoup ici et, malheureusement, je ne vous le cache pas, le patron, M. Lebonze, nous a donné notre congé pour le lendemain de son départ. Financièrement, c'est une catastrophe.

FLORENT, la main au portefeuille.

Mais je tiens à remédier à tout cela. C'est tout naturel, puisque c'est ma faute si...

THÉRÈSE, qui se tenait un peu éloignée, a bondi.
Ah! non!

TARDE

Comment non? Pourquoi non?

MADAME TARDE

Voyons, Thérèse, ton fiancé lui-même dit que c'est tout naturel!

THÉRÈSE

Ah! non! Pas encore cet argent. Vous m'avez fait assez de mal avec lui. Vous m'avez fait perdre assez de bonheur comme cela pour aujourd'hui. Je ne veux pas d'argent. Et puis, je ne veux pas non plus que vous ayez l'air extasiés de la sorte parce qu'il veut bien m'épouser : je suis belle, j'ai vingt ans, je l'aime, cela vaut sa gloire et son argent! Il ne faut plus qu'il soit question de cet argent. Vous m'en avez donné pour m'acheter des valises hier. Je ne le veux même pas.

Elle court à son sac.

TARDE, affolé.

Ne l'écoutez pas! Ne l'écoutez pas!

MADAME TARDE la suit en gémissant
et revient avec elle.

Thérèse!... Thérèse, voyons, Thérèse! Ma
petite!

THÉRÈSE

Tenez! Tenez! Le voilà! Tenez! Tenez!
Tenez!

Elle a jeté les billets aux pieds de Florent. Les
Tarde vont se précipiter.

Ne bougez pas, je vous le défends!

TARDE

Mais tu es folle! Puisqu'il te l'a donné! Quelqu'un pourrait entrer, c'est malin!

THÉRÈSE

Oui, je suis folle.

Elle regarde Florent, haletante.

Voilà.

FLORENT éclate de rire.

Ma chérie, ma chérie... Tu es merveilleuse.
Mais quelle importance cela a-t-il l'argent?
Nous n'en parlerons plus jamais; nous n'en aurons même pas si tu veux! On peut très bien
vivre sans argent. Tiens, tiens...

Il cherche son argent dans ses poches.

THÉRÈSE, doucement.

Comme tout est simple pour toi. Je suis toute froide de honte et tu joues un joli jeu.

FLORENT, qui jette tout ce qu'il a, en riant.

Allez, plus d'argent, plus d'argent, plus d'argent. Dorénavant, nous ne saurons plus ce que c'est que l'argent!

TARDE, affolé.

Oh! mais c'est trop, c'est trop!

A sa femme.

Garde les portes!

FLORENT jette sa dernière pièce.

Voilà! mon chéri, tu veux bien que je t'embrasse maintenant? Je n'ai plus un sou sur moi...

THÉRÈSE se laisse faire sans un geste; elle regarde les Tarde, tremblants de convoitise.

Regardez-les tous les deux. Cela leur fait mal, ces billets par terre... Comme vous les avez gentiment jetés, Florent. Nous n'avons pas ce talent, nous autres. Regardez ces têtes.

Un temps, elle crie soudain.

Je suis une imbécile d'avoir commencé. Moi aussi, malgré moi, cela me fait mal cet argent

par terre. Je me suis trop piqué les doigts avec
mon aiguille, je suis restée trop longtemps cour-
bée sur des étoffes à en avoir mal aux reins,
pour n'en gagner qu'un peu. J'ai voulu faire la
fière, mais je mentais...

> Elle se jette à genoux.

A genoux, à genoux. Je dois les ramasser à
genoux pour ne pas mentir, je suis de cette race.

FLORENT

Mais c'est impossible!

> Il la relève : elle a les dents serrées, les yeux
> fermés.

Ma folle...

TARDE explose.

C'est cela, c'est cela. Elle est folle! Occupez-
vous d'elle, nous allons tout ramasser pour vous
rendre...

> Ils se précipitent. Hartman, qui a regardé toute la
> scène, immobile, s'approche de Florent qui
> tient Thérèse en larmes dans ses bras.

HARTMAN, doucement.

Il faudra faire bien attention, Florent...

> Les autres ramassent toujours.

LE RIDEAU TOMBE

DEUXIÈME ACTE

Une pièce pleine de livres qui donne sur le parc par trois grandes portes-fenêtres. Boiseries. Portraits de famille sur les murs. Meubles anglais. Carrelage par terre. Thérèse est debout, immobile. Elle regarde Tarde qui essaie les fauteuils un à un.

TARDE

Je ne sais plus dans quel fauteuil je me suis endormi hier. Il était extraordinaire. Ils sont tous très bons d'ailleurs. Cela doit valoir quelque chose des fauteuils comme ça.

Il revient à son point de départ.

Non. Celui-là je l'ai déjà essayé. Au fond, cette particulière sensation de bien-être devait plutôt venir du dîner. Merveilleuse, la poitrine farcie d'hier. La truite de ce matin n'était pas mauvaise non plus.

Il prend un cigare, le renifle.

Il a du goût, ton fiancé.

Réflexion faite, il en prend un autre qu'il met dans sa poche.

THÉRÈSE

Laisses-en quelques-uns.

TARDE

Pour qui me prends-tu? Je suis un rigolo, mais je connais mon monde.

Il s'installe.

Tu ne t'assois pas? Le petit, près de la cheminée, n'est pas mauvais.

Un silence.

Cela vaut au moins neuf francs cinquante un cigare de cette taille. Cela fait plus de douze voltigeurs. Cela ne t'épate pas de voir ton père fumer douze voltigeurs à la fois? Si Mme Tarde, qui me faisait une scène pour un misérable ninas, pouvait me voir, mon bonheur serait à son comble. Tu lui as écrit, j'espère?

THÉRÈSE

Et toi?

TARDE a un geste.

C'est ta mère! Moi, j'ai été si pris ces jours-ci. Les promenades, la sieste, les repas. Il y a du poulet à la milanaise, ce soir.

THÉRÈSE

Comment le sais-tu?

TARDE

J'ai été le demander à la cuisinière, pardi.

Un silence. Il rêve.

Du poulet à la milanaise. Tu as une idée de ce que cela peut être, toi?

Elle ne répond pas.

Dis, fillette? Tu as une idée de ce que cela peut être, du poulet à la milanaise?

Pas de réponse, il se retourne.

Tu ne peux pas me répondre? Tu n'es guère aimable avec ton père. Entre nous, passe encore, j'ai l'habitude. Mais les étrangers doivent trouver cela rudement drôle. Après tout, je ne sais pas ce que tu me reproches. Je suis propre. Je me tiens bien. J'ai de la conversation. Essaie de chercher, parmi les pères de tes amies, quel est celui qui serait capable de porter le smoking avec mon aisance et de fumer d'un air naturel un cigare de neuf francs cinquante.

Un silence.

Naturellement, tu préfères ne pas me répondre. Tu adores m'humilier, mais je te défie de me citer un nom.

Un silence encore. Il regarde fixement un petit meuble tout proche, il s'inquiète.

Mais que fait ton fiancé aujourd'hui? Il ne nous quitte pas après le déjeuner d'habitude.

THÉRÈSE

Je ne sais pas. Il s'est enfermé avec Hartman.

TARDE, très inquiet cette fois.

Dis-moi, s'ils travaillent, il ne va pas revenir de sitôt. Tu pourrais peut-être servir la fine toi-même. Après tout, tu es la jeune fille de la maison, hein, fifille?

THÉRÈSE

Non.

TARDE se lève.

Me servir moi-même sera peut-être moins correct. Mais enfin, nous sommes à la campagne.

THÉRÈSE le rattrape.

Je te défends d'ouvrir cette cave à liqueurs!

TARDE

Ah! ça, par exemple, je me demande bien pourquoi?

THÉRÈSE

Je ne veux pas.

TARDE

On n'a jamais rien obtenu par l'arbitraire en France. Tes raisons?

THÉRÈSE

J'en ai assez maintenant de te voir fouiller dans tous les meubles de cette maison.

TARDE

Tu ne prends pas ton père pour un voleur, j'espère?

THÉRÈSE

Tu n'as jamais rien volé, non, jusqu'ici, parce que cela représente un certain danger chez des inconnus. Mais chez des gens que tu connaîtrais très bien, je ne sais pas si tu ne te laisserais pas tenter par quelque chose...

TARDE hausse les épaules.

Tu es injuste. Comment ne comprends-tu pas, tout simplement, que ton père, un vieil artiste, s'intéresse aux objets d'art de cette maison?

Un silence. Il est assis, soudain minable.

Ah! tu as eu tort de me faire venir ici, Thérèse. Ton vieux père a senti la caresse d'une vie de luxe et de dignité. J'aimerais finir mes jours dans un cadre semblable... Au fond, je n'aurais pas dû consacrer mon existence à l'ingrate musique. J'étais fait pour une autre vie. Parce que, je ne l'oublie pas, ta mère était une femme du peuple — « était » — c'est admirable! Je me sens si bien ici que je me figure qu'elle est morte. Ta mère est une femme du peuple, veux-je dire, mais moi, mes parents m'ont donné du meilleur sang bourgeois. Et que tu le veuilles ou non, sous le vieux bohème, le bourgeois d'ancienne souche parle.

Il s'est levé tout en parlant et a essayé d'ouvrir l'armoire à liqueurs et, voyant qu'il n'y parvenait pas, il a pris un petit canif qui pend à sa chaîne de montre et il tente de faire jouer la serrure.

THÉRÈSE le voit.

Et c'est le bourgeois d'ancienne souche ou le

vieux bohème qui est en train de crocheter la cave à liqueurs?

Tarde referme son canif, vexé, et retourne s'asseoir. En passant, il prend un nouveau cigare qu'il met dans sa poche.

TARDE

Mais enfin, qu'est-ce que tu as depuis ce matin? Permets-moi de te dire, fillette, que je commence à trouver toutes ces railleries déplacées... Je me demande pourquoi tu as insisté l'autre jour pour que je vienne ici, si ton intention était de m'y rendre la vie intenable! Ton fiancé, Hartman, sont charmants avec moi. Toi seule me bats froid. Et sais-tu seulement pourquoi? Je vais t'étonner, fillette, tu ne le sais pas.

Thérèse, lassée, a appuyé sa tête contre la fenêtre. Tarde continue.

Oh! c'est entendu. Tu prends ton père pour un imbécile. Mais alors, veux-tu lui expliquer, à l'imbécile, une chose qu'il ne comprend pas très bien? Voilà. En principe, je te fais honte, n'est-ce pas? Bon. Je ne relève pas pour l'instant ce que cette opinion a d'erroné, d'excessif et de blessant : je l'accepte; je te fais honte. Depuis ce matin, d'ailleurs, tu ne manques pas de me le faire remarquer. « Ne crochète pas la cave à liqueurs » (tu aurais pu dire : « N'essaie pas

d'ouvrir » ou au besoin : « Ne force pas la serrure », tu as choisi par hasard le terme le plus
crapuleux; mais passons) : Ne crochète pas la
cave à liqueurs, ne fouille pas partout, laisse des
cigares aux autres. Fais attention à tes ongles :
ils sont sales... Tu es plein de pellicules, brosse-
toi, etc., etc. (Les pellicules, je te ferai remarquer en passant que tous les artistes en ont. C'est
une chose contre laquelle il n'y a rien à faire.)
Je te fais donc honte. Bon. Tu m'as toujours
reproché mes ongles, mes pellicules. Tu es une
mauvaise fille. Rien de nouveau à cela. Ta
conduite présente peut être profondément ou-
trageante pour l'auteur de tes jours; elle ne
l'étonne pourtant pas. Mais voilà où cela devient
bizarre. Combien y a-t-il de jours que nous
sommes ici, fillette? Tu ne veux pas me
répondre? A ton aise. Je te le dirai, moi : il y a
six jours — six, deux fois trois — que nous
sommes ici. Il y a donc eu cinq jours, les premiers de notre séjour dans cette maison, où je
ne t'ai pas fait honte. Tu me diras que je ne
suis pas obligé de te faire honte tous les jours.
Je te répondrai une chose, poulette, en toute
franchise. Si, à un certain moment — ce qu'à
Dieu ne plaise! — ma conduite a été susceptible de te faire honte, c'est pendant les deux ou
trois premiers jours de notre séjour ici qu'elle

aurait dû le faire. Oui, je te l'avoue, le premier jour j'ai été ébloui. Ces repas magnifiques, ces fauteuils, ces cigares à discrétion, cette fine qu'on nous servait régulièrement, alors...

Il soupire en lorgnant encore la cave à liqueurs.

Bref, au premier dîner, par exemple, tiens, je lâche le mot, j'ai été ignoble. J'ai repris cinq fois de la mousse au chocolat. J'ai laissé tomber un anchois dans mon verre; j'ai roté... Remarque que c'était sans importance. A chaque fois, j'avais le mot d'esprit qui mettait les rieurs de mon côté. Mais enfin ce jour-là — tu vois, ton vieux père bien humblement te l'avoue — ce jour-là j'aurais pu, dans une certaine mesure, te faire honte.

THÉRÈSE

N'emploie pas tant de circonlocutions : tu l'as fait.

TARDE

Ah! Je l'ai fait! Je l'ai fait! Eh bien! Quelle a été ton attitude à ce premier repas? Tu as ri à gorge déployée à chacune de mes erreurs. C'est toi qui m'as incité bruyamment, en attirant l'attention générale sur moi, à reprendre une cinquième fois de la mousse au chocolat. Tu as fait mieux, tu as essayé de m'induire en erreur

sur la destination du bol d'eau chaude qu'on
nous a présenté à la fin du repas. Si ton fiancé
n'était pas intervenu, je crois bien que tu me
l'aurais laissé boire, mauvaise fille, après m'avoir
laissé manger la rondelle de citron. Quand ce
malheureux renvoi m'a échappé, ton fiancé, qui
a de l'éducation, a détourné la tête; toi, tu as
ri, tu as applaudi avec ostentation, tu m'as crié :
« A ta santé, papa! » Nieras-tu maintenant que
tu m'as crié : « A ta santé, papa »?

THÉRÈSE, lasse.

Oui, je l'ai crié.

TARDE

Nieras-tu qu'au salon, exploitant la faiblesse
bien compréhensible d'un vieil homme à qui la
vie a tout refusé, tu m'as fait prendre quatre
cigares — tu m'as servi sept fois de la fine pour
me griser, comme une midinette à qui on veut
faire dire des bêtises?... Des bêtises que j'ai
dites, naturellement! Quand j'ai bu, j'ai la chansonnette facile. Mais tout de même... Il y a
chansonnette et chansonnette. Si tu ne m'avais
rien dit, j'aurais peut-être chanté le « Temps
des Cerises ». Pas du tout. Tu as insisté pour
que je chante une gaudriole, pour me faire faire
les gestes! Et tu riais comme une folle. J'en suis

gêné moi-même quand j'y repense. Nieras-tu ta
conduite de ce premier soir?

THÉRÈSE

Non, papa...

TARDE

Tu avoueras alors qu'elle est en complète
contradiction avec les reproches que tu me fais
aujourd'hui pour des bêtises?

THÉRÈSE

Oui, papa.

TARDE

Peux-tu me dire, dans ce cas, ce que signifie
ce soudain changement d'attitude?

THÉRÈSE

Je vais te répondre comme toi lorsque j'étais
petite... « Si on te le demande, tu diras que tu
ne le sais pas. »

TARDE, amer.

Comme c'est malin. Je ne suis pas petit, moi.
Si on me le demande, je rougirai et je dirai :
« Je suis un père qui n'a pas la confiance de sa
fille. »

La femme de charge entre apportant le café.

LA FEMME DE CHARGE

Monsieur prie mademoiselle de l'excuser une minute encore. Il demande que monsieur et mademoiselle veuillent bien commencer à prendre le café sans lui et sans M. Hartman.

TARDE l'appelle.

Dites-moi, madame. La cave à liqueurs est fermée?

LA FEMME DE CHARGE

Non, monsieur, elle n'est jamais fermée.

Elle l'ouvre.

TARDE à Thérèse.

Tu vois.

Il a un gracieux sourire.

Je vous remercie mille fois, madame.

LA FEMME DE CHARGE

A votre service, monsieur.

TARDE

Vous êtes bien aimable, madame.

La femme de charge sort. Tarde se dirige résolument vers l'armoire à liqueurs et sort les
flacons.

Pour moi, c'est de la fine. Tu ne prends rien, poulette?

THÉRÈSE

Non, rien.

TARDE

Alors je te sers un peu d'armagnac. Je serai curieux de faire la différence avec la fine.

Il remplit un second verre.

Ras bord, comme tu les aimes.

Il boit, se carre dans son fauteuil.

Au fond, fillette, je te dois un aveu. J'ai bien réfléchi pendant ces six jours. Eh bien, j'avais tort l'autre fois de vouloir faire jouer ton fiancé dans ce lamentable bouiboui du père Lebonze pour un billet ou deux de bénéfice...

Il vide son verre, le repose.

Tiens, je te lâche le paquet! Je me demande même si je ne vais pas lui rendre une partie de la somme qu'il m'a prêtée.

THÉRÈSE

Tu deviens fou?

TARDE

Non... Non, je ne deviens pas fou. Mais c'est quelque chose de bizarre... Cela m'a pris ici,

dans cette atmosphère, près de lui qui est si
généreux, si insoucieux des questions maté-
rielles... Oui, je me demande si je n'ai pas envie
de lui rendre une partie de cet argent.

Un temps, il prend l'autre verre. Il boit une gorgée.

Remarque que je sais parfaitement qu'il me
l'a donné de bon cœur.

Une gorgée.

Je sais aussi, bien sûr, que pour lui qui est
si riche, c'est une goutte d'eau dans la mer... Et
d'un autre côté, je ne peux pas te dissimuler
qu'avec ce que m'a pris ta mère et les faux frais,
il ne m'en reste pas lourd de cet argent...

Une gorgée.

Je suis même en droit de me demander —
notre situation à tous deux est tellement délicate
— si un pareil geste n'aurait rien de blessant...

Le verre est vide, il avise le verre de Thérèse.

Un peu d'armagnac encore?

Elle ne répond pas.

Une goutte?

Il remplit le verre et boit.

Tu as raison de préférer cela à la fine, c'est
plus chaud.

Un temps, il s'installe dans son rêve.

Bref, comme tu le vois, il y a du pour et du contre. Mais je me demande cependant si je ne vais pas faire tout au moins un geste symbolique, quelques centaines de francs, mille peut-être...

Il boit et, rêveur :

Bah! Si c'est un geste symbolique, tu me diras que cinq cents francs suffiraient.

Un temps.

Quatre, au besoin.

Il boit encore, noble, le regard perdu.

D'un autre côté, sache bien, je ne voudrais pour rien au monde avoir l'air d'un avare...

THÉRÈSE

Mais, qu'est-ce qui se passe, qu'est-ce qui se passe dans cette maison, pour que, même toi, tu en sois réduit à de telles hypothèses? Enfin, petit père Tarde, regarde-moi bien en face. On t'a prêté de l'argent en te laissant entendre que c'était pour longtemps. On ne te réclame pas et tu veux en rendre une partie, de toi-même. Tu veux faire un geste symbolique, toi? Tu as peur d'avoir l'air d'un avare, toi?

TARDE

Ton père en est là.

THÉRÈSE

Qui l'aurait cru, petit père Tarde, qu'au fond, tu ne songeais qu'à être digne?

TARDE

J'ai toujours été digne. C'est ta mère qui déteignait sur moi.

THÉRÈSE

Et toi, qu'on a vu débraillé pendant soixante ans, voilà que tu te fais des nœuds de cravate impeccables, maintenant?...

Elle bondit.

Où as-tu pris cette cravate? Elle n'est pas à toi.

TARDE

Je ne l'ai pas prise. C'est ton fiancé qui me l'a donnée.

THÉRÈSE

Tu la lui as demandée?

TARDE sincèrement indigné.

Pour qui me prends-tu? Il l'avait au cou. Je lui ai simplement dit qu'elle était fort belle et qu'elle avait le même filet mauve que mon costume. Ce qui est parfaitement exact, tu peux le

vérifier. Alors, je ne sais pas ce qui lui a pris :
il a éclaté de rire, il l'a sortie de son cou et il me
l'a donnée. Quel original et quel cœur sur la
main!

> Il tire une petite glace de sa poche et arrange sa
> cravate en chantonnant.

Boum. Boum. Boum. C'est une cravate qui
vaut au moins cinquante francs.

> Il range sa glace, il se remet à fumer noblement.

THÉRÈSE sourit, malgré elle.

Comme tu es heureux, toi, ici...

TARDE

Au point que je n'ose pas m'avouer mon bonheur.

THÉRÈSE

Pourquoi?

TARDE, humble.

J'ai peur que tu me renvoies.

> Il touche du bois.

THÉRÈSE

Et moi, j'ai l'air d'être heureuse?

TARDE

Oh! Toi, tu es tellement bizarre! Il y a long-

temps que j'ai renoncé à savoir quand tu étais
contente et quand tu ne l'étais pas.

THÉRÈSE

Crois-tu que si j'étais venue ici avec l'intention d'être heureuse j'aurais insisté pour t'emmener, papa?

TARDE

Pourquoi n'aimerais-tu pas les joies de la
famille, tout comme une autre, fillette?

THÉRÈSE

Ne fais pas l'imbécile. Tu ne l'es pas. Cela
ne te paraît pas drôle que j'aie voulu t'emmener? Tu ne te poses pas de questions le soir,
après ton dernier verre de fine, dans ton lit à
baldaquin?

TARDE

Tu sais, je ne suis pas curieux, moi... Tu me
veux, je suis là. D'ailleurs, je m'endors si vite
après le dîner.

THÉRÈSE

Cela ne te paraît pas drôle non plus que je
t'aie poussé à être vulgaire, à être obscène?

TARDE

Attention... Attention... N'exagérons rien. Je n'ai pas été obscène.

THÉRÈSE

Si, papa. Et j'avais envie de crier et je me suis plus d'une fois mordu les lèvres jusqu'au sang pour ne pas pleurer.

TARDE

Saperlotte! Mais tu aurais dû me dire, petite... Moi, quand je suis en verve, je vais... je vais... Je ne me rends pas compte...

THÉRÈSE, les yeux fermés.

Non. J'aurais voulu que tu fasses plus fort encore. Que tu te déculottes pour nous faire rire. Que tu sois malade, que tu vomisses à force de boire...

TARDE, que cette vision épouvante.

Mais tu es effrayante, Thérèse!

Il va à elle. Il crie soudain.

Thérèse, regarde-moi!

THÉRÈSE

Oui.

TARDE

Qu'aurait dit ton fiancé si j'avais vomi sur ses tapis?

THÉRÈSE

Tu l'aurais tellement dégoûté sans doute, et moi aussi, ta fille, qui t'encourageais et riais de te voir faire, qu'il nous aurait flanqués à la porte tous les deux...

TARDE

Tu as pensé cela? C'est épouvantable. Mais le mariage alors — raté?

THÉRÈSE

Bien sûr.

TARDE, qui n'en revient pas.

Tu as essayé de faire rater ton mariage sciemment? Mais pourquoi? Je suis ton père, après tout, j'exige que tu me dises pourquoi! Je deviens fou, il faut absolument que je comprenne pourquoi!

THÉRÈSE, gentiment.

Cela, c'est vraiment au-dessus de tes forces, papa...

TARDE tombe assis, anéanti.

Un monstre. J'ai enfanté un monstre — un monstre d'orgueil!

THÉRÈSE

Tu crois que je suis orgueilleuse?

TARDE

Du côté de ta mère, ils sont plats comme des punaises, mais du côté des Tarde, l'orgueil est indomptable. Et c'est de moi que tu tiens, fi-fille...

THÉRÈSE

Cela serait de la chance, papa, si ce n'était que de l'orgueil.

TARDE

Que veux-tu donc que ce soit, sinon de l'orgueil? C'est le seul sentiment qu'on puisse éprouver avec une telle violence devant un homme qu'on n'aime pas.

THÉRÈSE

Mais qui t'a dit que je ne l'aimais pas?

TARDE

Crois-tu donc que si tu l'aimais, tu t'amuserais à faire vomir ton père devant lui pour le dégoûter?

THÉRÈSE

C'est pourtant cela, papa.

TARDE

Non, non. Je me refuse à croire une telle chose. J'ai aimé, moi aussi, ma petite — pas ta mère — plus tard... (maintenant que tu es grande, je peux bien te le dire). Une harpiste qui a fait un moment partie de l'orchestre. Une longue créature d'un chic inimitable. Eh bien, je te jure que pareille complication ne me serait jamais venue à l'idée... Et pourtant, d'un sens, je suis plus passionné que toi.

THÉRÈSE, les yeux fermés.

Il ne te serait pas venu à l'idée non plus d'être exprès grossier, exprès méchant... De te cramponner de toutes tes forces à ta pauvre révolte?

TARDE

Ma révolte? Quelle révolte? Explique-toi, nom d'une pipe! Tu es en train de me dire des choses extrêmement graves et tu t'arranges pour que je ne les comprenne pas. Contre qui es-tu

révoltée? Allons, fillette, dis-moi cela posément.
Je sais ce que c'est que les amoureuses...

THÉRÈSE

Contre lui et contre tout ce qui lui ressemble
ici...

TARDE

Tout ce qui lui ressemble? Qu'est-ce qui lui
ressemble?

THÉRÈSE

Sa maison qui n'a l'air si claire et si accueil-
lante le premier jour que pour mieux vous faire
comprendre après que vous n'êtes pas fait pour
elle. Ses meubles dont aucun n'a l'air de vouloir
de moi. Papa, je cours quand je traverse le
salon toute seule. Chaque fauteuil m'adresse un
reproche de vouloir m'implanter ici. Et toutes
ces vieilles dames dans ces cadres!

TARDE

Il y en a de fort nobles, ma foi!

THÉRÈSE

Je me promène nue tous les soirs devant celles
de ma chambre.

TARDE

Cela me paraît un enfantillage déplacé et sans portée véritable.

> Thérèse a été aux livres qui tapissent le fond de la pièce.

THÉRÈSE

Et ses livres, tiens, ses livres qui sont tous ses amis — pire. ses complices — qui lui ont parlé, qui l'ont aidé à devenir lui; ses livres qui le connaissent mieux que moi et que je ne connais même pas, moi, pour me défendre. Oh! mais je les ai déjà repérés de dos, va, si je ne les ai pas lus!

TARDE

Mais, dis donc, c'est bien simple, tu n'as qu'à les lire, fillette.

THÉRÈSSE, toute pauvre.

Je me lève le matin avant tous les autres depuis trois jours et je viens ici, sans ouvrir les persiennes, pour essayer. Seulement, ils ne me parlent pas à moi comme à lui... Il faudrait qu'il m'explique et je ne veux pas. Oh! mais il ne faut pas qu'ils croient qu'ils me font peur.

> Elle marche le long des rayons et jette les livres par terre.

Tiens, regarde ce que j'en fais de ses livres.
Tiens, celui qui le fait pleurer parce qu'il est
allé vendre des fusils en Afrique. Tiens, tiens,
tiens, ceux-là qui le font rire et pas moi.

TARDE, qui la suit, ramassant, affolé.

Fillette, fillette, tu es folle. Tu vas les abîmer,
voyons.

Il lit un dos en ramassant.

Molière... Qu'est-ce qu'il a bien pu te faire,
Molière? C'est un fabuliste. Thérèse! Mon
enfant! Thérèse, je t'interdis!

Il tombe trop de livres, il en lâche lui-même, il
est débordé. Thérèse va à lui, lui arrache les
livres qu'il a péniblement ramassés et les
rejette par terre..

THÉRÈSE

Je ne veux même pas que tu les ramasses.
Je veux qu'il les trouve là quand il rentrera,
ses sales livres.

TARDE jette un dernier livre
qui lui restait dans la main, tombe assis, découragé.

Ta conduite m'atterre par son incohérence,
mon enfant. Je me demande bien comment
d'inoffensifs bouquins...

THÉRÈSE, qui regarde autour d'elle dans un coin,
traquée, au milieu des livres.

Tout ici est avec lui, contre moi : le petit
bureau d'écolier sur lequel il faisait ses devoirs
de vacances pendant que, moi, je courais les
rues — le petit bureau qui n'a l'air de rien —
est son complice...

Elle montre un portrait.

Et sa mère, elle est morte, elle aurait pu me
laisser tranquille, celle-là, dans son cadre. Mais
même les morts sont ses complices, je le sais
bien.

TARDE

Oh! si tu te mets à invoquer les morts, maintenant!

THÉRÈSE

Ils t'ont déjà parlé de sa mère?

TARDE

Une femme charmante, paraît-il, d'une douceur, d'une distinction princières.

THÉRÈSE ricane.

Oui. Eh bien, tu les vois, à côté, dans ses souvenirs, la douceur et la distinction princières
de la fille Tarde? Dis, papa, tu les vois?

TARDE

Attention, attention! D'abord, tu ne peux pas nier que toutes tes amies sont beaucoup moins distinguées que toi. Et quant à ta douceur, je ne vois rien à dire contre elle, en somme...

THÉRÈSE va à lui.

Ma douceur! tu te la rappelles ma douceur — le jour où tu voulais que je réponde aux avances du père Lebonze.

TARDE se lève, excédé.

Ah! C'était bien le moment de reparler de cela, par exemple! C'était bien le moment! Ah! tu peux te vanter d'avoir du tact, toi!

Il marche furieux dans la pièce, il a un geste.

Et d'ailleurs, tu oublies que nous sommes des artistes à qui toutes les excentricités sont permises et qui ne sont déplacés dans aucun milieu!

THÉRÈSE

Des artistes! Non, mais tu es sincère en disant cela aussi? Tu m'as écoutée jouer du violon déjà? Tu t'es écouté jouer de la contrebasse? Et puis, tu l'as écouté jouer après, lui — même avec un doigt — sans en avoir le cœur brisé?

TARDE

Pardon, pardon. Tu as un joli talent, poulette, et moi, tu ne dois pas oublier que je suis
second prix du Conservatoire d'Arcachon. Il ne
faut pas non plus nous rabaisser outre mesure...
Il y a bien des gens à qui nous pourrions tenir
la dragée haute, tu sais!

THÉRÈSE, doucement, avec un petit rire désespéré.

Eh bien, il faudra que nous nous dépêchions
de les trouver, ces gens-là, et d'aller la leur tenir
haute, notre dragée... Parce qu'avec les autres...

Elle s'est arrêtée devant le portrait de la mère.

Ah! ils peuvent s'attendrir sur elle, elle peut
sourire dans son cadre. C'est bien malin d'arriver dans une maison comme une vraie fiancée,
sans honte et sans révolte — et d'être claire et
douce — et de se faire aimer...

FLORENT entre rapidement, suivi d'Hartman.

Excuse-moi, ma chérie. Avez-vous pris le café?

TARDE

Certes. On est même venu nous dire : « Monsieur vous fait dire de prendre les liqueurs sans
lui. » Alors, naturellement, nous commencions
à les prendre...

FLORENT

Bon. Mon cher monsieur Tarde, vous m'avez demandé hier si je pouvais vous prêter un habit?

Thérèse lève la tête.

TARDE *explique, gêné.*

Oui, poulette. Tu comprends. ton fiancé m'a dit qu'il en avait plusieurs... Alors, ma foi, j'ai pensé : un mariage ne dure qu'un jour, en somme. La vie est si dure! D'un autre côté, un habit cela n'a pas besoin d'aller tellement bien...

FLORENT

Vos raisons sont excellentes, mon cher monsieur Tarde. Ne les énumérez pas une seconde fois. Cet habit est en ce moment sur votre lit avec des chemises. des cols, des cravates. Voulez-vous aller voir si tout cela vous va?

TARDE

Mais certainement, certainement, mon·cher futur gendre, et en vous remerciant de tout cœur...

Tout le monde attend qu'il sorte, il s'assoit timidement sous les regards.

Dès que nous aurons pris les liqueurs, je me ferai une joie...

FLORENT va à la cave à liqueurs, souriant.
Quelle est votre liqueur préférée?

TARDE

Je comparais justement tout à l'heure la fine
et l'armagnac, et je vous avoue que j'étais hési-
sant.

FLORENT

Bon. Voilà le flacon de fine et voilà le flacon
d'armagnac.

Il lui charge les bras.

Quel est votre verre?

TARDE a un geste.
Oh! n'importe lequel, allez...

FLORENT

En voilà un. Pouvez-vous monter tout de suite
dans votre chambre essayer l'habit et prendre
les liqueurs sans nous?

TARDE s'est levé, digne.
Que dois-je comprendre?

FLORENT sourit.
Mais cela, exactement.

TARDE

C'est une sorte de congé, en somme, si je ne me trompe pas?

FLORENT sourit malgré lui.

C'est une sorte de congé pour un petit moment. Oui, vous ne vous trompez pas. Mais avec deux excellentes bouteilles. On va vous faire rappeler bientôt.

TARDE a un geste de grande noblesse.

Inutile d'insister, j'ai compris.

Il fait un pas.

Je ne suis tout de même pas obligé de rester dans ma chambre? Si c'est trop long, j'ai le droit d'aller me promener?

FLORENT le reconduit.

Mais, naturellement...

TARDE s'arrête.

Alors, dites-moi — puisque vous avez bien voulu pour l'habit — cela ne vous ferait rien de me prêter une canne? Je ne sais pas me promener sans canne et — c'est un fait exprès — j'ai oublié la mienne.

FLORENT

Il y en a plusieurs dans l'antichambre. Prenez celle que vous préférez.

Il le pousse.

TARDE

Alors, si cela ne vous fait rien, je prendrai celle qui a un pommeau d'ivoire cerclé d'or... C'est celle qui m'a paru le mieux en main...

Il s'arrête, un peu gêné.

Enfin, à vue d'œil...

FLORENT, pour en finir.

C'est bien. Elle est à vous. Je vais vous la chercher.

Il sort.

TARDE se précipite derrière lui en criant.

Ne prenez pas cette peine! Ne prenez pas cette peine!...

Florent est déjà sorti, sa voix tombe.

Ne prenez pas cette peine... Oh! C'est ridicule, il n'aurait vraiment pas dû se donner cette peine...

Il crie timidement par la porte entrebâillée.

Ne cherchez plus, allez, ne cherchez plus, j'ai bien le temps...

FLORENT rentre avec une autre canne..

Il me semblait pourtant l'avoir vue hier encore. Je ne la trouve pas. Tenez, voulez-vous celle-là à la place?

TARDE balbutie.

Je vais vous dire... J'avais pensé que vous diriez oui... Elle est dans ma chambre.

FLORENT éclate de rire et le pousse dehors.

Dans ce cas, c'est parfait. Montez vite.

THÉRÈSE, quand Tarde est sorti.

Qu'est-ce qui se passe? Pourquoi le fais-tu sortir?

FLORENT

Voilà ce qui se passe, Thérèse. J'ai reçu ce matin une lettre anonyme. Reconnais-tu ce style?

Il lit.

« Je vous écris cette lettre car j'ai des révélations importantes à vous faire sur celle à qui vous voulez donner votre nom... »

THÉRÈSE

Alors?

FLORENT

Cette lettre était apportée par le garçon du
Café de la Gare où le signataire de ces lignes
attendait ma visite. Tu penses bien que cela
m'a fait rire, tout simplement. Mais comme je
ne voulais pas que quelqu'un puisse t'ennuyer,
j'ai envoyé Hartman au rendez-vous. Il y a
trouvé ta camarade de l'orchestre, la fille qui
tenait le second violon et, ma foi, il a pensé bien
faire en la ramenant ici. Veux-tu la voir ou
veux-tu que je la renvoie tout simplement?

THÉRÈSE

Je veux la voir.

FLORENT

C'est bien. Je vais la chercher.

Il sort. Hartman s'approche de Thérèse.

HARTMAN

Thérèse, au café où j'ai retrouvé cette jeune
fille, j'ai été indiscret. Au lieu de la renvoyer
comme le voulait Florent, je lui ai offert à boire
et je l'ai questionnée.

Thérèse le regarde.

Elle ne m'a d'ailleurs pas dit grand-chose,
mais j'ai eu l'impression que ce n'était pas elle

qui avait eu l'idée de cette lettre anonyme. Qu'elle avait été appelée ici par quelqu'un.

Il regarde Thérèse en souriant, il la prend soudain par les épaules.

Thérèse, vous êtes sûre que vous n'êtes pas en train de faire une bêtise?

THÉRÈSE se dégage.

Je ne sais pas ce que vous voulez dire. Laissez-moi.

HARTMAN

Ma petite Thérèse, regardez-moi bien en face. Je ne sais pas exactement avec quels mauvais génies vous êtes en train de vous battre. Je les devine un peu. Ne haussez pas les épaules, vous comprendrez peut-être un jour que je suis le seul dans cette maison à pouvoir vous parler ainsi.

Thérèse lui a échappé; il la rattrape, la prend par le bras et doucement, mais fermement.

Thérèse, vous aimez Florent. Cela, c'est quelque chose de sûr, quelque chose de vrai. Vous avez votre bonheur devant vous. Tâchez donc de l'agripper de toutes vos forces, ce bonheur, et d'oublier toutes ces histoires à dormir debout.

THÉRÈSE

Ce ne sont pas des histoires à dormir debout.

HARTMAN

Si, ma petite vieille... J'ai employé ce terme à dessein. Je pensais qu'il allait vous faire crier. Mais écoutez-moi bien... Dans cette maison, toutes les fois que vous aurez mal sans vous être coupé le doigt ou cogné le coude — toutes les fois que vous pleurerez sans avoir épluché d'oignons — cela sera une peine à dormir debout. Vous oubliez que vous êtes ici dans la maison du bonheur où les peines n'ont pas de place... Le propriétaire vous a entrouvert la porte. Ne faites pas de bêtises. Entrez donc vite.

THÉRÈSE

Je ne veux pas vous écouter, vous et vos phrases. De quoi vous êtes-vous mêlé, d'abord? Pourquoi cela vous intéresse-t-il tant les histoires des autres? Vous ne pouvez donc pas me laisser en paix?

HARTMAN sourit.

Vous laisser en paix, Thérèse? Je vous ai adressé trois fois la parole en six jours...

THÉRÈSE

Oui, mais vous croyez que je ne vous vois pas

derrière votre pipe, à tout noter, à tout comprendre? Ce sont mes peines à moi, laissez-les-moi. Et occupez-vous des vôtres si vous en avez.

HARTMAN la tient par les épaules, la scrute.

Je suis un vieil égoïste, Thérèse, et j'ai laissé déjà mourir pas mal de gens. Mais il faut croire que, vous, je vous aime bien — cette fois cela me paraît trop bête de vous laisser vous sauver ainsi devant le bonheur.

THÉRÈSE s'arrache de ses mains.

Vous me dégoûtez tous avec votre bonheur! On dirait qu'il n'y a que le bonheur sur la terre! Eh bien, oui, je veux me sauver devant lui. Eh bien, oui, je ne veux pas me laisser prendre par lui toute vivante. Je veux continuer à avoir mal et à souffrir, à crier, moi! C'est extraordinaire, n'est-ce pas? Vous ne pouvez pas comprendre, n'est-ce pas?

HARTMAN, doucement..

Qu'en savez-vous, Thérèse?

Florent est entré avec Jeannette.

FLORENT

Entrez, mademoiselle. Voilà ton amie, Thérèse. Nous allons vous laisser seules.

THÉRÈSE

Non, reste.

    Elles se regardent toutes les deux intensément.
Thérèse dit enfin.

Eh bien, parle. Tu as envoyé une lettre anonyme. Tu voulais parler, parle. Que voulais-tu
dire?

        Jeannette se tait.

Tu veux que je te laisse seule avec lui? Tu as
honte devant moi? C'est bien, je vous laisse.

FLORENT la retient.

Non, Thérèse. A mon tour de te retenir. Il
faut que tu restes. Je ne veux rien entendre sans
toi.

THÉRÈSE

Mais tu vois bien qu'elle a peur... Elle ne parlera pas devant moi.

FLORENT

Alors, elle ne parlera pas. Est-il si nécessaire
après tout qu'elle parle?...

THÉRÈSE

Oui. Je le veux. Je veux qu'elle te dise ce
qu'elle avait à te dire... Je veux que tu saches
tout, Florent. Allons, parle, toi. C'est moi qui te

demande de parler maintenant. Tu es devenue
muette? Parle!

JEANNETTE

Parle, parle, qu'est-ce que cela veut dire,
parle? De dire ce que tu m'avais dit de dire ou
de dire ce que tu m'avais dit de ne pas dire?

FLORENT

Comment?

JEANNETTE

Je suis venue, oui, mais je n'ai rien à dire.
Cherches-en une autre, ma petite.

Elle se tourne vers Florent.

Vous avez la voiture pour me ramener à la
gare?

THÉRÈSE

Ah! non, cela serait trop facile! Tu ne te
figures pas que je vais te laisser repartir comme
ça. Tu es là pour dire quelque chose, ma fille,
dis-le.

JEANNETTE

Tu es folle, Thérèse. Lâche-moi.

FLORENT

Thérèse, je crois qu'il faut mieux la laisser
partir.

THÉRÈSE

Non. Je veux qu'elle parle, je veux qu'elle
la dise cette saleté qu'elle porte avec elle. Regardez-la avec ses nippes et ses cheveux jaunes, elle
n'a même pas besoin de parler, elle l'a intro-
duite ici sa pauvre petite saleté avec l'odeur de
sa mauvaise poudre, avec sa cigarette au coin du
bec... Allez, Jeannette, allez, la copine de la
fille Tarde, parle, parle donc.

Elle la secoue.

Mais qu'est-ce que tu attends pour parler
puisque tu es là pour cela? Puisque c'est moi
qui te le demande? Tu as peur!

JEANNETTE

Non, mais si tu veux savoir, ça me dégoûte.
Je ne veux pas passer pour ce que je ne suis pas.

Elle se tourne soudain vers Florent.

J'ai peut-être été jalouse de sa chance, comme
les autres, quand vous l'avez emmenée, mais de
là à venir tout salir, comme ça... C'est elle qui
m'a écrit de venir.

THÉRÈSE

Imbécile, imbécile.

JEANNETTE

Elle devait me donner l'argent du voyage plus trois cents francs.

Il y a un silence. Florent se tourne vers Thérèse.

FLORENT

Pourquoi as-tu fait venir cette fille ici?

THÉRÈSE

Pour qu'elle te parle.

FLORENT

Qu'est-ce que tu voulais qu'elle me dise?

JEANNETTE

Oh! des horreurs, cher monsieur...

FLORENT rit à moitié.

Mais qu'est-ce que c'est que cette histoire de brigands!... Qu'est-ce que tu voulais qu'elle me dise?

Thérèse ne répond pas; il se tourne vers Jeannette, lui prend le bras.

Qu'est-ce que vous deviez me dire, vous?... Dites-le maintenant, puisque tout le monde vous le demande.

JEANNETTE se dégage.

Oh! ce n'est pas la peine de me faire mal au bras! Je ne demande pas mieux que de le dire, moi, si vous avez envie de l'apprendre. J'ai fait trois cents kilomètres pour ça... Elle m'a écrit de venir vous dire qu'elle avait été la maîtresse de Gosta...

FLORENT la lâche.

Gosta...

JEANNETTE

Oui, la maîtresse de l'amant de sa mère. Excusez du peu, cher monsieur.

FLORENT se tourne vers Thérèse.

C'est effarant. Pourquoi voulais-tu me faire croire cela?

THÉRÈSE

Tu as entendu, tu as entendu? Excusez du peu comme elle dit. Cela ne sert plus à rien puisque tu sais maintenant que c'est moi qui l'ai fait venir, mais je le lui ai fait dire quand même pour que tu entendes ces mots-là résonner ici, pour que ta mère les entende dans son cadre et toutes tes vieilles tantes et tes fauteuils, ta maison, ton parc et tes roses, et ton vieux jardinier que je déteste et tes vieilles bonnes et tes livres aussi, tes sales livres.

JEANNETTE en ramasse un.

En fait de livres, on en écrase ici.

Florent voit tous les livres par terre, il regarde Thérèse.

THÉRÈSE

C'est moi qui les ai jetés.

FLORENT

Pourquoi?

THÉRÈSE

Pour rien.

FLORENT la prend par les épaules.

Thérèse, je veux que tu me dises pourquoi.

THÉRÈSE

Tu peux me serrer avec tes grandes mains et me faire mal, je ne te le dirai pas, pourquoi. J'ai voulu que tu apprennes ce que j'aurais essayé de te faire croire si cette imbécile n'avait pas tout fait rater. Je veux que tu saches que j'ai jeté tes livres, que je crache sur le portrait de ta mère tous les soirs quand je passe ici, que j'ai fait venir mon père, que je t'ai laissé lui donner de l'argent, que je l'ai fait boire et chanter des chansons, exprès! — mais pourquoi j'ai fait tout cela, pourquoi je vous déteste tous, je ne te le dirai jamais, puisque tu n'as pas su le trouver toi-même!

FLORENT la regarde, abasourdi.

Mais, Thérèse, ce n'est pas possible... Nous étions heureux tout à l'heure encore... Qu'est-ce que tu as?

THÉRÈSE

Tu étais heureux — pas moi.

FLORENT balbutie.

C'est épouvantable...

THÉRÈSE

Oui. C'est épouvantable.

FLORENT

Mais, tu trembles?

THÉRÈSE

Oui, je tremble. Je tremble d'être la seule ici qui ne sache pas sourire, la seule sale, la seule pauvre, la seule honteuse.

FLORENT

Pourquoi pauvre? Pourquoi honteuse?

THÉRÈSE

Ce n'est plus la peine de me questionner, je ne te répondrai pas.

Elle va se jeter sur un divan. Il la regarde, inter-
dit, sans oser faire un pas vers elle.

HARTMAN *prend* Jeannette *à part.*
Dites-moi. Vous avez demandé la voiture tout
à l'heure?

JEANNETTE

Oui, mais je ne pars pas sans avoir parlé en
particulier à Thérèse. On peut se foutre de moi,
me faire faire trois cents kilomètres pour rien,
mais tout de même, je ne veux pas en être de ma
poche, par-dessus le marché.

HARTMAN *la prend par le bras*
et sort son portefeuille.

Venez donc. J'ai tout pouvoir pour régler cet
aspect de la question.

JEANNETTE
Comme ça, c'est régulier.

Elle se détourne.

Adieu, Thérèse, et fais donc pas tant de ma-
nières, va... Tu as une bonne place, garde-la.

A Hartman en sortant.

Ah! si c'était moi, cher monsieur!

HARTMAN

Oui, mais voilà, ce n'est pas vous...

Ils sont sortis.
Thérèse est couchée sur le divan, la figure cachée.
Florent est debout près d'elle. Il murmure.

FLORENT

Tu avais de la peine, mon chéri, et je ne
m'en doutais pas. Mon petit bonhomme qui
voulait me faire croire qu'il était la maîtresse
de l'amant de sa mère... C'était très compliqué
ce que tu avais été chercher là. La maîtresse de
l'amant de ta mère! Il me semble que si j'avais
été une petite sotte qui tient absolument à avoir
l'air noir comme la nuit, j'aurais tout de même
trouvé quelque chose d'un peu plus vraisem-
blable.

Elle se soulève, le regarde, va lui dire quelque
chose, puis, lasse, se laisse retomber sans un
mot sur le divan.

FLORENT vient s'asseoir à côté d'elle.

Ainsi, tu te figures que je vais te permettre
d'avoir une peine que je ne connais pas? Tu te
figures que je vais laisser une seule peine vivre
de toi?

Il l'a prise dans ses bras.

Regarde-moi. Je ne crois pas à tes peines, ce
sont des folles et je suis plus fort qu'elles.

*Il l'a soulevée, il la tient en face de lui, elle se
détourne.*

Est-ce que je n'ai pas l'air plus fort que toutes
les peines du monde? Regarde mes yeux.

*Elle n'a pas bougé; il la secoue, essaie de voir son
visage.*

D'abord, qu'est-ce que tu m'as dit sur ma
maison? Tu t'y sens pauvre, tu t'y sens seule?
Mes sales livres. Pourquoi mes sales livres? C'est
en lisant ces sales livres que j'ai appris à t'attendre et à t'aimer depuis que j'ai vingt ans.
Quand tu les connaîtras, tu les aimeras comme
moi. On dirait qu'ils ont tous été écrits pour toi.

Il les ramasse.

Allons, remettons un peu d'ordre dans cette
maison. Je vois que cette hostilité, au fond, c'est
tout simplement parce que vous ne vous connais-
siez pas très bien. Je vais vous présenter.

Il veut la prendre.

Donne-moi la main, lève-toi que je te présente à ma maison, Thérèse.

Elle se cramponne au divan.

Non? Tu ne veux pas te lever? Ce n'est pas
très poli de se faire présenter couchée. Enfin,

je suis sûr qu'elle t'excusera. C'est indulgent,
ces vieilles maisons de campagne.

> Il commence moitié riant, moitié ému comme s'il
> parlait à un enfant, sans cesser de lui caresser
> la tête.

Voilà. Messieurs les arbres, messieurs les murs
gris, messieurs les fauteuils (puisqu'il paraît
que vous aussi vous êtes en cause), je vous prie
d'excuser cette jeune fille qui est un tout petit
peu triste encore parce qu'elle n'a pas su s'y
prendre pour vous aimer. Vous êtes peut-être
aussi un peu trop solennels les uns et les autres.
Vous auriez dû faire attention à ne pas lui faire
peur. Peut-être ne se serait-elle pas couchée là
sur ce divan où elle enfonce son nez, si vous lui
aviez dit que, de loin, vous aviez l'air d'un château, mais que, de près, vos murs sont pleins
d'animaux et de bonshommes que tous les petits
garçons de la famille se sont amusés à gratter
au couteau. Vous, les fauteuils, vous auriez dû
lui dire que vous n'étiez pas si terribles que
cela, malgré vos airs, et que d'ailleurs vous
n'aviez aucun style! Vous les grands-pères, les
grands-oncles, pourquoi avoir fait les malins dans
vos cadres? Parce qu'elle était la seule dans la
maison à ne pas savoir que vous n'aviez pas
inventé la poudre de votre temps? Et quant à
toi, maman, quand je pense que tu t'es laissé

cracher dessus tous les soirs sans lui faire comprendre qu'au contraire, elle aurait dû t'aimer
beaucoup... Tu ne lui as donc pas dit qu'elle
te ressemblait? Elle avait mal, maman. Et tu ne
lui as rien dit! Toi qui savais si bien consoler de
toutes les peines, tu n'as donc rien trouvé pour
elle?... Vraiment, maman, je ne te reconnais
plus! Si tu avais pensé au moins à lui chanter
la chanson avec laquelle tu me faisais dormir...

THÉRÈSE, *sans bouger, se met soudain à chanter
à tue-tête d'une voix éraillée de larmes,
sa figure cachée dans les coussins du divan.*

« Qu'est-ce qui n'a
Son ocarina
C'est Nana
Oui, Nana, qui n'a
Son nono... »

Elle s'arrête, coupée par un sanglot.

FLORENT

Qu'est-ce que tu chantes?

THÉRÈSE, *la tête dans ses bras.*

Une chanson de ma mère à moi.

FLORENT

Pourquoi chantes-tu cette imbécillité?

THÉRÈSE

Parce que ma mère, à moi, est une femme dure et froide qui me faisait honte et qui me battait.

Sa voix est encore coupée par un sanglot.

FLORENT crie.

Mais tu pleures!

Il la soulève de force.

Thérèse... mon petit.

Son visage est plein de larmes; debout, elle titube. Il la secoue, il crie, effrayé.

Thérèse!...

THÉRÈSE

Je te demande pardon, je suis une idiote. Donne-moi ton mouchoir. Je ne veux plus pleurer; c'est trop bête les larmes.

FLORENT

Pourquoi pleures-tu? Je t'aime, tout le monde t'aime ici. Tout le monde est clair et bon et t'attend pour te rendre heureuse.

Elle a les yeux fermés, sans rien dire. Il crie.

Thérèse! Ne te cache pas derrière tes yeux fermés. Il faut que tu me regardes et que je te console. Je pensais que c'était un caprice de

petite fille comme il y a six jours, parce qu'ils
avaient tous cru que tu m'épousais pour mon
argent. C'était tellement idiot que je me refusais
à y attacher de l'importance. Thérèse, ce n'est
donc pas seulement cela?

THÉRÈSE l'arrête d'un petit geste
et se met à parler doucement.

Ecoute. Il va falloir me laisser partir. Dis, je
ne te demande rien d'autre.

Il va parler, elle l'arrête d'un geste encore.

Tu vois, je ne crie pas, je ne fais pas de scène.
Il va falloir me laisser partir.

FLORENT veut s'avancer.

Tu es folle, Thérèse.

THÉRÈSE recule, comme si elle avait peur de lui.

Ne me touche pas.

FLORENT

Je veux te serrer dans mes bras. Il faut que je
te serre dans mes bras tout de suite et que je
te guérisse.

THÉRÈSE

Non. J'ai trop mal maintenant. Il va falloir
me laisser partir. Tu ne peux pas comprendre.

Tu ne sauras jamais ce que c'est. Cela bout, cela gonfle, cela éclate... Il faut me laisser m'en aller d'ici sans scène, sans larmes, tant que je le peux encore. Dis, je te le demande bien gentiment parce que, si je restais un peu plus, je deviendrais folle...

FLORENT

Je ne te laisserai jamais partir.

THÉRÈSE

Si, Florent, il faudra bien... Tu devrais me laisser monter dans ma chambre sans rien me dire. Tu iras travailler comme d'habitude et puis ce soir tu t'apercevras que je ne suis plus là, sans savoir à quel moment je suis partie pour que nous ne nous parlions pas encore une fois. C'est cela qui fait le plus mal : parler.

FLORENT

Explique-moi au moins à quel moment je t'ai fait de la peine, si tu ne veux pas que je devienne fou, moi aussi...

THÉRÈSE avec un geste inachevé
comme une petite fille.

Je peux pas dire...

FLORENT

Il faudra que tu parles. Je t'empêcherai de

sortir de cette pièce tant que tu n'auras pas
parlé.

THÉRÈSE secoue la tête.

Non, s'il te plaît, laisse-moi partir...

Elle le regarde bien en face, elle ajoute, dure.

... Si tu m'aimes.

FLORENT, calme et sûr de lui.

Je ne te laisserai pas partir parce que je
t'aime et parce que tu m'aimes, toi aussi — j'en
suis sûr. Je ne sais quel orgueil, quelle méchan-
ceté te déforment en ce moment le visage. Mais
je suis sûr aussi que ce sont de mauvaises herbes
qui vivent de toi et avec lesquelles tu n'as rien
de commun. Tu peux te débattre. J'arracherai
toutes tes mauvaises herbes une par une.

THÉRÈSE crie soudain, fuyant devant lui.

Mais tu vois bien que je te demande de te
taire! J'ai honte, j'ai honte d'être comme cela,
mais je le serai toujours. Vous ne pouvez donc
pas me laisser tranquille, tous?

Elle s'est pelotonnée dans un fauteuil toute tremblante.

FLORENT s'approche doucement

Je vais te faire mal. Je te demande pardon,
ma chérie. Mais il faut que je te sauve de toi-

même. Parce que quelque chose t'éloigne peut-
être en ce moment de cette maison et de moi,
mais je suis sûr aussi que d'autres forces t'y
retiennent. Et si tu pleures, si tu trembles en
ce moment, c'est parce que tu es pleine de leur
combat. Alors, ne crois pas que je vais rester
sans rien faire. Je t'ai dit que j'aimais me
battre... Regarde-moi et parle si tu oses. Après
je te laisserai peut-être partir.

> Il lui a levé la tête de force. Elle le regarde,
> haletante.

Ne baisse pas les yeux. Tu le sens bien que je
suis plus fort que toi et que toutes tes peines?

> Elle a reculé la tête le plus possible, jusqu'au
> dossier du fauteuil. Elle regarde, apeurée, le
> fond de ces yeux clairs qui la scrutent. Elle
> va baisser les siens, elle va céder quand son
> père entre.

TARDE, en habit, avec un chapeau haut de forme.

Tant pis pour les consignes! Je n'y tiens plus.
Regarde un peu l'allure de ton père, fillette...

> FLORENT s'est dressé, va vers lui.

Allez-vous-en tout de suite, vous!

> THÉRÈSE court, elle aussi, à Tarde et s'accroche
> à son bras.

Non, reste, papa! J'ai besoin de toi.

FLORENT

Lâche-le, Thérèse. Qu'il nous laisse.

THÉRÈSE

Non, je ne le lâcherai pas! Non, je ne le lâcherai pas! Ah! Je suis contente que tu sois descendu, papa... Je suis sauvée, maintenant! Tu es là, tu es là.

FLORENT

Remontez, je vous en supplie, vous voyez bien que votre place n'est pas ici.

THÉRÈSE, accrochée à Tarde de toutes ses forces.

Non, je ne veux pas qu'il remonte.

FLORENT, qui le secoue par l'autre bras.

Mais fichez-moi donc le camp!

THÉRÈSE

Reste, papa!

TARDE

C'est que, fillette, je finis par me demander si je ne suis pas de trop...

FLORENT

Mais oui, oui, vous êtes de trop. Partez!

THÉRÈSE

Non, papa. J'ai besoin de toi, reste!

TARDE

C'est que justement, si c'est grave... cela tombe mal... dans ce costume...

THÉRÈSE

Oh! si, papa, reste... surtout dans ce costume.

Elle se serre contre lui.

Papa, mon cher petit papa. Ah! je suis bien contente que tu sois aussi sale, aussi ridicule, aussi vulgaire...

TARDE

Hé là, hé là... fillette! Je sais bien que tu plaisantes, mais tout de même, je suis ton père, ne l'oublie pas.

THÉRÈSE crie, avec une sorte d'horrible joie.

Oh! je ne l'oublie pas, papa! Je suis ta fille. Je suis la fille du petit monsieur aux ongles noirs et aux pellicules; du petit monsieur qui fait de belles phrases, mais qui a essayé de me vendre, un peu partout, depuis que je suis en âge de plaire...

TARDE, digne.

Qu'est-ce que tu racontes? C'est bien simple,
je ne te comprends pas.

Il se retourne vers Florent.

Elle ne sait pas ce qu'elle dit.

THÉRÈSE

Oh! non, je ne l'oublie pas, papa, que tu es
mon père! Je n'oublie aucun des petits secrets
sordides qui me lient à toi mieux que si je t'aimais. Mais si tu savais comme ils me sont doux,
aujourd'hui, ces secrets, comme ils me sont
utiles. Ah! nous sommes bien tous les deux,
papa. Nous nous comprenons tous les deux,
hein? Nous ne nous faisons pas honte, nous
sommes de la même race, hein, tous les deux?

TARDE

Mais bien sûr, bien sûr, petite...

A Florent.

Je ne sais pas ce qu'elle a, vous savez.

THÉRÈSE, à Florent.

Tu ne dis plus rien? Tu sens que je suis loin
de toi maintenant que je m'accroche à lui... Ah!
tu m'as tirée à toi, tu sais, avec ta grande force

et ma tête se cognait à toutes les pierres du chemin... Mais je t'ai échappé, maintenant. Tu ne pourras plus jamais m'atteindre.

FLORENT

Non, Thérèse, tu te débats, mais tu ne m'as pas échappé.

THÉRÈSE

Si, maintenant que je suis au désespoir, je t'ai échappé, Florent. Je viens d'entrer dans un royaume où tu n'es jamais venu, où tu ne saurais pas me suivre pour me reprendre. Parce que tu ne sais pas ce que c'est que d'avoir mal et de s'enfoncer. Tu ne sais pas ce que c'est que se noyer, se salir, se vautrer... Tu ne sais rien d'humain, Florent...

Elle le regarde.

Ces rides, quelles peines les ont donc tracées? Tu n'as jamais eu une vraie douleur, une douleur honteuse comme un mal qui suppure... Tu n'as jamais haï personne, cela se voit à tes yeux, même ceux qui t'ont fait du mal.

FLORENT, calme et lumineux encore.

Non, Thérèse. Mais je ne désespère pas. Je compte bien t'apprendre un jour à ne plus savoir haïr, toi non plus.

THÉRÈSE

Comme tu es sûr de toi!

FLORENT

Oui, je suis sûr de moi et sûr de ton bonheur que je ferai, que tu le veuilles ou non.

THÉRÈSE

Comme tu es fort!

FLORENT

Oui, je suis fort.

THÉRÈSE

Tu n'as jamais été laid, ni honteux, ni pauvre... Moi, j'ai fait de longs détours parce qu'il fallait que je descende des marches et que j'avais des bas troués aux genoux. J'ai fait des commissions pour les autres et j'étais grande et disais merci et je riais, mais j'avais honte quand on me donnait des sous. Tu n'as jamais été en commission, toi, tu n'as jamais cassé le litre et pas osé remonter dans l'escalier?

TARDE

Tu as bien besoin de raconter toutes ces histoires, par exemple!...

THÉRÈSE

Oui, papa, j'en ai besoin.

FLORENT

Je n'ai jamais été pauvre, non, Thérèse, mais ce n'est pas ma faute.

THÉRÈSE

Rien n'est ta faute! Tu n'as jamais été malade non plus, j'en suis sûre. Moi, j'ai eu des croûtes, la gale, la gourme, toutes les maladies des pauvres; et la maîtresse m'écartait les cheveux avec une règle quand elle s'en est aperçue.

TARDE, excédé.

Boh! Des croûtes!

FLORENT secoue la tête.

Je me battrai, Thérèse, je me battrai, et je serai plus fort que tout ce que t'a fait la misère.

THÉRÈSE ricane.

Tu te battras! Tu te battras! Tu te bats gaiement contre la souffrance des autres parce que tu ne sais pas qu'elle vous tombe dessus comme un manteau; un manteau qui vous collerait à la peau par endroits. Si tu avais été méchant

déjà, ou faible, ou lâche, tu prendrais des précautions infinies pour toucher ce manteau saignant. Il faut faire très attention pour ne pas
vexer les pauvres...

Elle prend son père par la main.

Allons, viens, papa. Remets ton chapeau haut
de forme.

A Florent, bien en face.

Laisse-nous passer, s'il te plaît.

FLORENT lui a barré la route.
Non, Thérèse.

THÉRÈSE frissonne, se regardant dans ses yeux.
« Elle est délicieuse! » J'ai entendu que
vous disiez cela avec Hartman. « Elle est délicieuse! » Tu ne t'attendais pas à cela, hein?
Cette haine qui me creuse le visage. cette voix
qui crie. ces détails crapuleux. Je dois être laide
comme la misère en ce moment. Ne dis pas non.
Tu es tout pâle. Les vaincus sont effrayants,
n'est-ce pas?

FLORENT
Pourquoi emploies-tu des mots aussi bêtes?
Tu n'es pas un vaincu, et surtout, je ne suis pas
un vainqueur.

THÉRÈSE

Tu es un riche. C'est pire. Un vainqueur qui n'a pas combattu.

FLORENT lui crie, excédé.

Mais tu ne peux pas me reprocher éternellement cet argent. Qu'est-ce que tu veux que j'en fasse?

THÉRÈSE

Oh! rien, Florent. Tu aurais beau le jeter tout entier au vent, par la fenêtre, en riant, comme l'autre jour, que ma peine ne s'envolerait pas avec lui... Tu n'es pas seulement riche d'argent, comprends-le, tu es riche aussi de ta maison de petit garçon, de ta longue tranquillité et de celle de tes grands-pères... Tu es riche de ta joie de vivre qui n'a jamais eu à attaquer ni à se défendre, et puis de ton talent aussi. Tu vois qu'il y a vraiment trop de choses à jeter par la fenêtre... Et ne crois pas que tu es un monstre, surtout. Hartman t'a trompé en employant ce mot. Tu m'as torturée et tu es bon, tu sais, et ce n'est pas ta faute, parce que tu ne sais rien.

Elle le regarde pendant une seconde, puis soudain, sa colère la submerge. Elle crie, avançant vers lui.

Tu ne sais rien! Tu comprends, puisque je te

lâche mon paquet, aujourd'hui, comme une
bonne qu'on flanque à la porte, je veux te le
crier une fois encore; c'est ce qui m'a fait le
plus de mal. Tu ne sais rien. Vous ne savez rien
vous autres, vous avez ce privilège de ne rien
savoir. Ah! Je me sens grosse ce soir de toute
la peine qui a dû serrer, depuis toujours, le
cœur des pauvres quand ils se sont aperçus que
les gens heureux ne savaient rien, qu'il n'y
avait pas d'espoir qu'un jour ils sachent! Mais
ce soir tu sauras, tu me sauras, moi au moins. si
tu ne sais pas les autres. Allez, explique-lui. toi,
papa. si tu en as le courage, toutes les pauvretés,
toutes les bassesses qu'il n'a pas pu connaître et
qui m'ont donné cette triste science à moi qui
suis plus jeune que lui. Allons, explique, explique... Dis-lui tout. Dis-lui, quand j'avais neuf
ans, le vieux monsieur qui était si bon...

TARDE

Elle est folle. C'était un ami de la famille.
Elle ne sait pas ce qu'elle dit.

THÉRÈSE

Explique-lui aussi quand maman avait trop
bu et qu'elle vomissait et qu'il fallait que je la
soigne...

TARDE

Mais tais-toi! Tu m'atterres, mon enfant...

THÉRÈSE

Et il voulait que j'aime sa mère, tu sais! Il
voulait que je ne crache pas tous les soirs en
passant sur cette vieille dame souriante dans
son cadre; il voulait que je m'attendrisse sur
ses histoires de roses... La pauvre, c'était toute
sa vie, ses roses, à cette femme... Mais ce n'est
pas tout, ce n'est pas tout. Explique encore,
que nous partions en beauté. Dis-lui que ce
n'était pas une invention si drôle ce que je voulais faire dire à Jeannette tout à l'heure et que
maman m'a assez poussée à céder à Gosta pour
pouvoir le garder.

TARDE, sincère.

Ah! cela, je ne l'aurais jamais permis!

THÉRÈSE

Bien sûr, papa. Mais alors, dis-lui qu'à
quinze ans, même pas, quatorze, j'ai eu un
amant...

TARDE

Je te défends d'en dire plus long! Ne l'écoutez plus.

THÉRÈSE crie.

Oui, j'ai eu un amant à quatorze ans!

TARDE se dresse devant elle.

Thérèse, halte-là!

THÉRÈSE le bouscule et jette encore à Florent.

J'ai eu un amant à quatorze ans. tu entends.
Un garçon que je ne connaissais même pas, m'a
prise. Et je me suis laissé faire sans amour, sans
être vicieuse, par une veulerie, une résignation
que tu ne comprendras pas non plus. Je ne l'ai
vu qu'une fois. J'ai été enceinte. Quand je m'en
suis aperçue, il y avait longtemps qu'il était
parti. Je me suis délivrée toute seule dans ma
chambre.

TARDE bondit.

Fillette!

THÉRÈSE l'écarte d'un geste
et crie au visage de Florent.

... Toute seule, et je me traînais à quatre
pattes en saignant...

TARDE l'agrippe encore.

Je te défends, fillette!

THÉRÈSE le rejette.

... Et je mordais tout ce que je trouvais pour

ne pas crier! Tu vois, je te l'ai dit! Je te l'ai dit!
Je ne l'avais jamais dit à personne. Comme
cela, c'est fait maintenant. Je n'aurai jamais
plus le courage de te regarder.

> Elle s'est jetée dans un fauteuil, épuisée, la tête
> cachée dans ses bras.

> TARDE explose, sincèrement indigné.

C'est trop, cette fois! C'est trop. Je suis un
vieux bonhomme dont la vie n'a pas toujours
été facile et je me suis laissé entraîner souvent
et plus loin qu'on le croit. Mais le dire en public, comme cela, le crier, en être presque fier,
cela, jamais, tu entends, jamais ton père ne l'aurait fait!

> Un silence. Florent est tout raide, tout pâle. Il
> demande d'une drôle de voix.

FLORENT

Qu'est-ce que tu veux que je fasse, Thérèse?

THÉRÈSE

Laisse-moi sortir sans me regarder, si tu
m'aimes encore un peu.

> Elle se lève, va à la porte sans tourner la tête.

Viens, papa.

> TARDE, en passant, à Florent.

Je vous demande encore une fois pardon de

cette incartade qui m'offense et m'humilie et à laquelle je ne suis pour rien. Parce que — nous sommes entre hommes — on peut faire bien des choses, mais de là à les dire à haute voix...

Il salue et sort derrière Thérèse.

HARTMAN entre rapidement.

Je viens de la rencontrer qui montait en courant dans sa chambre.

FLORENT, qui regarde encore droit devant lui,
dit doucement, sans bouger.

Elle est perdue.

HARTMAN

C'est vous, Florent, qui dites cela? Je savais depuis le premier jour que votre amour ne pouvait pas être facile. Mais il faut travailler à comprendre. Il faut courir après elle, la rattraper, la reprendre. Elle part, il faut faire quelque chose, Florent!

FLORENT

Je ne sais plus quoi faire. Je suis désemparé, Hartman.

HARTMAN

Vous, désemparé? Qu'est-ce qu'elle a donc pu vous dire?

FLORENT

Je ne la comprends pas. Tout la rend malheureuse ici. Ma maison, mes livres, jusqu'au
souvenir de ma mère.

HARTMAN hausse les épaules.

Pensez-vous qu'à travers tout cela il s'agisse
d'autre chose que de vous?

FLORENT

Elle me reproche de ne pas avoir été pauvre,
de ne pas savoir être malheureux ni haïr. Elle a
honte de son père et elle l'a amené exprès; elle
a honte de son ancienne vie et elle fait venir
cette fille pour raconter ce sale mensonge.

HARTMAN

Rappelez-vous le soir où vous me l'avez dé-
crite dans le café. Je vous ai dit : « Quelle
chance que ce ne soit pas une fille dure, soupçonneuse, exigeante. »

FLORENT

Pourquoi? Je n'ai pas assez d'amour, croyez-
vous, pour nourrir une pareille fille?

HARTMAN

Vous êtes comme les gens très riches, Florent,

qui n'ont jamais assez de monnaie pour les mendiants... Vous avez déjà tant donné de vous à votre art et au bonheur de vivre, et tous deux vous ont tant donné, aussi... Vous me disiez qu'on ne peut pas avoir trop de chance. Vous venez d'en avoir la preuve. Vous devez sentir maintenant sur vos épaules ce qu'est le poids d'une longue chance... Vous êtes comme les rois d'autrefois, on vous a tout donné à profusion et pour rien de ce que nous devons acheter très cher, nous autres. Alors, acceptez, comme les rois, d'être un peu étranger sur la terre.

FLORENT

Mais je l'aime, Hartman!

HARTMAN

Voilà où vous n'avez pas joué le jeu. Les rois ne doivent pas aimer autre chose que leur joie.

FLORENT

Ce n'est pas seulement cela. Nous ne la comprenons pas, Hartman. Ce n'est pas possible que ce soit seulement cela qui l'ait fait tellement souffrir.

HARTMAN lui dit doucement, d'une drôle de voix.

Si, Florent, c'est possible; vous pouvez me croire, moi qui la comprends.

FLORENT lève la tête, voit son regard,
il recule d'un pas malgré lui.

Qu'est-ce que vous allez me dire, vous aussi?

HARTMAN, doucement.

Quand je vous ai rencontré, j'étais déjà un
vieil homme qui fouillait sans espoir une ma-
tière sourde de ses doigts malhabiles — un vieil
homme perdu dans l'épuisante recherche de ces
voix célestes que vous aviez déjà trouvées tout
seul en naissant.

Un silence. Il sourit.

Je n'ai pas pleuré, je n'ai pas crié. Je n'étais
pas votre amoureuse, moi... Mais cela m'a fait
un peu la même chose. Je vous ai haï.

FLORENT balbutie.

Mais qu'est-ce que vous avez tous? Ce n'est
pas ma faute.

HARTMAN se redresse, prend sa pipe éteinte.

Non. Et maintenant je ne suis plus qu'un
vieil homme d'affaires qui sait exactement ses
possibilités musicales et qui vous aime bien.

Il fait un geste pour vider sa pipe, qui cache son
émotion.

C'est drôle, je ne croyais pas vous dire cela

un jour... Mais au moins que cela vous aide à
ne pas la laisser là-haut qui fait sa pauvre petite
valise et qui s'enfonce, qui s'enfonce toute
seule...

FLORENT

J'ai peur qu'elle me regarde encore comme
tout à l'heure, Hartman. Dans cinq minutes je
sais qu'il sera trop tard, mais qu'est-ce que je
dois faire? Dites-moi, vous, ce que je dois faire...

Hartman le regarde, fait un geste évasif. Florent
tourne vers lui son visage ravagé. Il lui crie.

Mais, j'ai mal!...

HARTMAN

Peut-être cela. Avoir mal, si vous savez
apprendre.

Il est sur le pas de la porte. Il se heurte à
Thérèse habillée pour partir.

THÉRÈSE, d'une petite voix unie.

Vous êtes là, Hartman? Au revoir.

Et elle s'avance vers Florent.

Adieu, Florent.

Elle lui tend la main.

Je n'ai pas voulu me sauver comme une
lâche. Je peux te regarder encore en face. Tu

vois. Ne garde pas un trop triste souvenir de
moi.

FLORENT balbutie sans bouger.

Adieu. Thérèse... Et je te demande pardon
Je ne savais pas...

Un silence, elle le regarde. Elle dit soudain doucement.

THÉRÈSE

Mais... tu pleures...

Florent ne répond pas.

Tu pleures, toi... Tu pleures à cause de moi?
Tu sais donc pleurer?...

FLORENT, qui s'essuie machinalement la joue.

Je pleure? Je te demande pardon.

THÉRÈSE, après un silence
où elle le regarde sans bouger.

Tu n'es donc pas toujours heureux, toi non
plus, malgré tes belles choses?

FLORENT

Non, tu vois.

THÉRÈSE

Tu n'es donc pas toujours sûr de toi? sûr du
bonheur que tu fais? sûr que tu as toujours
pour toi tous les gendarmes de la terre et du
ciel?...

FLORENT

Non, Thérèse, depuis que je sais que tu es malheureuse, je suis ignorant et désemparé comme un père dont l'enfant meurt sans parler d'une maladie inconnue... Tu as mal, et c'est mon amour qui te fait mal, tu as mal et mon amour ne peut pas te guérir. J'essaie de toutes mes forces de te rendre heureuse et tu as mal quand même — et je ne sais pas faire autre chose... Toi qui m'as parlé de souffrances que je ne pouvais pas connaître, est-ce que tu imagines celle-là?

THÉRÈSE, doucement.

Si tu essayais d'être une fois comme les autres : lâche, mauvais, égoïste, pauvre. Une fois, dis?

FLORENT

Je ne peux pas.

THÉRÈSE

Si tu essayais, au lieu de tout réussir rien qu'en paraissant, de te tailler difficilement ta place comme les autres, en ratant, en recommençant, en ayant mal, en ayant honte. Si tu essayais, dis, je serais peut-être délivrée?

FLORENT secoue encore la tête,
les yeux pleins de larmes.

Je ne peux pas. Vous m'accusez tous comme si c'était ma faute. Ce n'est pas facile, tu sais, d'apprendre à ne plus être heureux... Avant, je sentais bien quelquefois que j'étais comme un embusqué parmi les hommes, que je ne paierais jamais rien d'un cri ou d'une larme... Je trouvais cela commode. Je comprends ce soir que la souffrance aussi, c'est un privilège qui n'est pas donné à tout le monde.

THÉRÈSE balbutie, pleurant de joie.

Oh! mon chéri, tu doutes, toi aussi. Tu as honte, tu as mal? Mais tu n'es pas un vrai riche, alors...

Elle cueille une larme au bout de son doigt sur
le visage de Florent.

Tiens, regarde-la, regarde-la, toute brillante au bout de mon doigt! Qu'est-ce que cela peut me faire tout le reste, puisque tu m'as payée d'une larme, moi. Oh! tu pleurais et j'étais là-haut à faire ma valise. Mais pourquoi ne me l'as-tu pas crié que tu pleurais pour que je sois moins seule?

FLORENT

J'avais peur que tu ne me comprennes pas.

THÉRÈSE

C'est vrai? Tu as donc besoin que je te comprenne, besoin que je t'aide aussi? Et je m'en allais comme une idiote, sans le savoir.

Elle s'est jetée dans ses bras.

Oh! aie besoin de moi, dis, au moins pour manger et pour marcher comme un enfant, si tu n'as pas besoin de moi comme un homme... Aie besoin de moi pour que je ne souffre pas trop.

FLORENT

J'ai besoin de toi.

THÉRÈSE

C'est pour cela aussi que j'étais malheureuse. Tu as tellement de choses autour de toi qui te tiennent, qui te chauffent, qui te vêtent. Moi, je n'avais qu'une boisson, qu'un vêtement, qu'un feu.

FLORENT

J'ai besoin de toi, Thérèse.

THÉRÈSE

Plus que toutes tes autres joies?

FLORENT

Plus que toutes mes autres joies.

THÉRÈSE sourit.

Alors, rappelle-les vite. Elles ne me font plus peur maintenant.

Elle se jette contre lui, la tête cachée.

Et je t'ai menti, tu sais — ne me regarde pas — c'était une mauvaise fille qui parlait en moi depuis que tu m'as emmenée : je t'aime, je t'aime comme tu es. Il ne faut surtout pas que tu fasses des efforts pour devenir comme les autres. Cela ne me fait plus rien de n'avoir ni amis, ni maison, ni famille. Tu peux faire venir ta sœur et ta tante, je les aimerai bien. Je suis claire, claire moi aussi, et riche. Tu es ma maison, tu es ma famille, tu es mon bon Dieu.

TARDE entre avec son pardessus sous le bras
et deux minables valises.

Voilà. Dieu me sera témoin que je ne l'aurai pas voulu et que c'est la mort dans l'âme que j'ai fermé ces deux valises!

THÉRÈSE se retourne.

Ah! c'est papa! Je suis heureuse, je suis heureuse, papa!

TARDE

Hé bien, saperlotte, après une scène pareille

je me demande bien comment tu trouves le moyen d'être heureuse, toi!

THÉRÈSE

Je suis heureuse parce que tu vas t'en aller tout seul, papa, avec tes deux valises de carton, parce que je me suis enfin détachée de toi!

TARDE

M'en aller seul? mais où cela?

THÉRÈSE

Où tu voudras, papa. Le plus loin possible.

TARDE, minable.

Mais je ne reviendrai pas pour la noce?

THÉRÈSE lance un cri de délivrance.

Non, papa!

TARDE clignote et devient soudain tout gris. Il balbutie.

Mais pourtant... un père, fifille...

THÉRÈSE crie encore, impitoyable.

Non, papa!

TARDE, qui ne sait plus ce qu'il dit.

Et tu restes, toi?

THÉRÈSE

Oui, je reste, moi, et je n'ai pas honte et je suis forte et je suis fière et je suis jeune et j'ai toute la vie devant moi pour être heureuse!...

Elle est dans les bras de Florent, transfigurée. Tarde a repris lamentablement ses valises.

LE RIDEAU TOMBE

TROISIÈME ACTE

Même décor qu'au deuxième acte. C'est le soir,
mais il fait encore jour dehors. On entend
parfois le piano au loin. Thérèse est debout,
au milieu de la pièce, deux ouvrières à ses
pieds : on lui essaie sa robe de mariée... Sur
la terrasse au fond, tricotant dans un fauteuil,
Mme Bazin, la tante de Florent, charmante
vieille dame, pleine de dentelles, de petits
bijoux, de rubans. Sur le divan, feuilletant des
revues, la sœur de Florent, Marie. Dans
un coin, loin des autres, Hartman qui fume.
Au fond sur la terrasse, derrière Mme Bazin,
trois servantes dont la fille de cuisine, qui
regardent de tous leurs yeux. Un silence.

MADAME BAZIN, aux servantes.

Allons, allons, vous avez assez vu maintenant. Vous la verrez votre content le jour du
mariage...

LA FEMME DE CHARGE, en sortant,
à la fille de cuisine qui ne bouge pas, extasiée.

Tu as entendu, toi? D'abord qui t'a permis

de nous suivre? Tu sais bien que tu ne dois te montrer sous aucun prétexte dans le jardin des maîtres. Allez, file à ta cuisine et un peu vite...

A Mme Bazin.

J'en demande pardon à madame; elle nous a suivies sans qu'on s'en aperçoive...

MADAME BAZIN

Elle se tenait bien à sa place pourtant, jus-qu'ici, cette petite.

LA FEMME DE CHARGE

Oui, mais depuis quelque temps je ne sais pas ce qui lui prend, elle est toujours à rôder où elle ne doit pas... Oh! madame peut dire qu'elle ne vaut pas l'ancien souillon... Je de-mande pardon à madame, je vais y veiller.

Elle sort.

MADAME BAZIN

Dans une demi-heure, il fera nuit...

Un silence encore.

LA VENDEUSE, à une ouvrière.

Plus tendue, la traîne. Au moins ici, made-moiselle, nous pouvons juger de l'effet; dans votre chambre nous n'aurions jamais pu l'ajuster convenablement. Il faut que nous nous dépê-

chions si nous voulons prendre le train d'onze
heures moins le quart.

MARIE bâille d'ennui.

Moi qui vous attendais avec impatience!
Quelle idée de ne pas jouer au tennis.

THÉRÈSE
Oui.

MARIE
Si seulement il y avait de l'eau ici, qu'on
puisse plonger quand cela va trop mal, ou faire
du canot. Et pour comble d'ironie, je continue
à recevoir d'Angleterre mes revues de rowing.
Un temps.

LA VENDEUSE
Plus haut ton épingle, Léontine.

MARIE
Vous n'êtes jamais allée en Angleterre?

THÉRÈSE
Non.

MARIE
Moi, je viens d'y passer trois ans. J'étais dans
un collège absolument merveilleux. Vous savez,
on est très libre là-bas, très sport. Quelle diffé-

rence de climat! C'est bien simple, je ne sais plus parler à mes amies qui sont restées ici dans les jupes de leur gouvernante ou de leur mère. C'est dommage que vos parents ne vous y aient pas envoyée. Passer deux ou trois ans de l'autre côté du Channel : il n'y a rien de tel pour faire connaître la vie à une jeune fille.

THÉRÈSE, doucement.

Oh! il y a d'autres façons de la connaître, allez...

MARIE

Naturellement. Mais en France nous sommes trop tenues pour ne pas rester des cruches jusqu'à notre mariage. Ou alors il y a un moyen, oui — si les parents ne sont pas trop vieille école, c'est de travailler. Hélas! ne le peut pas qui veut!

LA VENDEUSE

Ah! mademoiselle a malheureusement raison. Nous avons encore renvoyé cinquante ouvrières cette année chez M. Lapérouse!

MARIE

Oh! ce n'est pas cela. Par relations on peut toujours s'arranger pour trouver une place. Je parlais des parents. Il y en a qui voient encore

le travail comme un déshonneur. Moi, je trouve
cela absolument merveilleux. Et vous?

THÉRÈSE a un petit sourire.

Cela dépend. Il faudrait toujours faire
quelque chose qu'on aime beaucoup, comme
Florent.

MARIE

Mais non, je ne parle pas des artistes! Je
parle d'un vrai travail, d'un « job » bien rétri-
bué dans une banque, une maison de publicité
ou une compagnie d'assurances.

MADAME BAZIN, du fond.

Moi, de toute ma vie, je n'ai cessé de travailler : crochet, dentelle ou autre, et je m'en suis
trouvée fort bien. Je ne suis pas de ces oisives
qui pourraient rester les mains vides. J'ai deux
jardiniers, mais il m'arrive de tailler mes rosiers moi-même.

MARIE

Le travail, c'est d'abord une discipline excellente et, en tout cas, ce qui est énorme pour
une jeune fille, c'est l'indépendance complète.

THÉRÈSE

On regarde souvent la pendule, vous savez,
dans un bureau ou dans un atelier.

LA VENDEUSE

Chez nous, pour éviter cela, M. Lapérouse a fait enlever les horloges et il défend d'apporter des montres. C'est la sonnerie qui règle tout.

THÉRÈSE, relevant le menton de la petite arpète
qui est à ses pieds.

Dis-lui, toi, qu'on ne s'amuse pas tous les jours chez M. Lapérouse.

LA VENDEUSE

Oh! mademoiselle, je peux vous assurer que les ouvrières de la maison sont toutes contentes de leur sort, et très contentes...

THÉRÈSE, doucement, souriant à la petite.

Bien sûr.

MADAME BAZIN

De mon temps, les ouvrières travaillaient seize heures par jour. D'un côté elles étaient moins heureuses qu'aujourd'hui, bien sûr, mais aussi on leur donnait plus facilement. Que de fois j'ai fait cadeau aux femmes qui venaient coudre chez moi de robes encore très mettables. Maintenant, cela ne vous vient plus à l'idée : elles sont aussi riches que nous. Qui y a perdu au change? Pas nous, bien sûr.

MARIE

Décidément, vous êtes tout à fait vieux jeu, ma pauvre Thérèse! Alors, pour vous, l'idéal, c'est la jeune fille à la maison. Cela ne vous a jamais excédée, vous, la maison?

THÉRÈSE sourit.

Oh! moi, c'est un peu spécial. Ma maison...

MADAME BAZIN

Vous avez raison, Thérèse; tenez-lui tête! Marie est une petite révolutionnaire.

MARIE

Mais naturellement! Je pense qu'une jeune fille doit travailler. D'abord, parce que je trouve cela sport et amusant et puis très chic aussi, dans la mesure où on n'y est pas obligé. C'est vrai, il faut vivre avec son temps, ma tante!

MADAME BAZIN

De mon temps aussi nous disions cela. Mais nous, c'était pour qu'on nous laisse monter à bicyclette.

MARIE

Il ne faut plus que les bourgeois se croient sortis de la cuisse de Jupiter. Nous sommes tous les mêmes et notre lot sur terre est de travailler les uns comme les autres.

LA VENDEUSE

Pour ma part, je suis de votre avis, mademoiselle. La vraie jeune fille moderne doit travailler. Malheureusement, il y en a beaucoup trop qui ne se sont pas suffisamment posé la question.

THÉRÈSE à la petite.

J'espère que tu te l'es suffisamment posée, toi, la question, avant d'entrer chez M. Lapérouse?

LA VENDEUSE a un petit rire poli.

Mademoiselle aime plaisanter... D'ailleurs, je comprends qu'elle soit tout à fait étrangère à notre petite controverse. Quand on se marie, c'est tout différent. On a une maison, un rang à tenir... Mais dans le cas de Mlle France, au contraire, je le pense formellement, la jeune fille doit travailler. M. Lapérouse a d'ailleurs étudié des ensembles d'un goût très simple et très sûr, pour la jeune fille qui travaille... Pour cette saison, il a prévu deux modèles, l'un du matin, l'autre de l'après-midi. Parce que le problème n'est pas si simple qu'on peut le croire.

Il faut songer que la jeune fille qui travaille
l'après-midi et qui sort à sept heures n'a maté-
riellement pas le temps de faire une nouvelle
toilette pour la cocktail-party ou le petit dîner.
Il fallait donc concevoir un modèle avec lequel
elle puisse être convenable aussi bien au bureau qu'au cabaret, au cinéma, ou, à la rigueur,
dans un petit théâtre. Si vous donnez suite à vos
projets, mademoiselle, je suis sûre que M. Lapérouse se fera un plaisir de vous envoyer quelqu'un avec les deux modèles pour que vous
puissiez les voir.

MARIE

Je vous remercie. Mais je ne compte pas travailler avant la rentrée. Pendant les trois mois
d'été, avec les invitations qui pleuvent, ce n'est
vraiment pas possible. En octobre, s'il a un modèle intéressant, volontiers.

LA VENDEUSE

Je lui ferai la commission, mademoiselle.
Jeanne, voulez-vous remonter un peu la pince.

MARIE

Parce que, dès octobre, ma tante, je vous
parie bien que je travaille du matin au soir, et
sérieusement.

MADAME BAZIN

J'ai toujours dit que tu étais une extravagante.

LA VENDEUSE

Il ne faut pas dire cela, madame. Nous ne savons pas de quoi demain sera fait. De nos jours, le travail n'est plus un passe-temps agréable pour les oisifs; il est devenu une nécessité.

MARIE

C'est ce que tante ne veut pas comprendre. Elle vit encore comme avant guerre sans vouloir tenir compte de l'instabilité des situations sociales. Cette époque est révolue, tante. Nous sommes *obligées* de travailler, maintenant.

LA VENDEUSE

Hélas! toutes autant que nous sommes.

Un temps, à Thérèse.

Vous n'êtes pas fatiguée, mademoiselle?

THÉRÈSE

Non.

LA VENDEUSE

Nous n'en avons plus pour longtemps, mais le montage de ces manches est si délicat...

A Marie.

Ce serait dommage tout de même que cette décision vous fît renoncer au délicieux petit ensemble pour les sports d'hiver dont je vous avais parlé.

MARIE

Oh! Je prendrai tout de même un mois de vacances en hiver. Je ne suis pas une sectaire.

LA VENDEUSE

Ah! bon, vous me rassurez. J'aurais été navrée qu'une autre le portât. On dirait vraiment qu'il a été conçu pour vous.

MARIE

Et puis surtout, vous savez, la neige, le ski, au début, si cela n'a été pour moi comme pour les autres qu'un coup de snobisme, maintenant c'est devenu quelque chose dont je ne saurais pas me passer! Mais si je travaille, je paierai mon hôtel et mes costumes moi-même. Personne ne pourra me chicaner sur mon séjour à Megève. Je dépenserai ce que je voudrai.

LA VENDEUSE

C'est la grande force d'une jeune fille qui travaille.

MARIE

Mais certainement! Au fond, les midinettes et les dactylos nous envient; elles ne savent pas leur bonheur. La liberté que donne l'argent gagné en travaillant; l'argent bien à soi. Si elles savaient comme, sous prétexte de bonne éducation, on est pingre, au fond, avec les jeunes filles, dans les meilleures familles françaises...

THÉRÈSE, à la petite.

Tu vois, tu peux te vanter d'avoir de la chance! Tu ne t'en doutais pas?

MARIE

Mais c'est évident! La vraie privilégiée de nos jours, c'est la femme qui gagne son argent toute seule. Tenez, je connais une jeune fille qui travaille comme secrétaire-dactylographe dans une banque depuis près d'un an déjà. Résultat : moi, on n'a jamais voulu que j'aie une voiture personnelle. Elle, elle va s'acheter un petit roadster!

THÉRÈSE

Et elle est dactylo? Elle a une bien bonne place...

MARIE

Oh! à vrai dire, elle en paie seulement une partie de sa voiture; son père met le reste.

THÉRÈSE

Ah! bon.

MARIE

Dès qu'elle l'aura, elle va faire la Grèce et l'Italie par petites étapes avec une amie...

THÉRÈSE

Mais sa banque? Elle aura un assez long congé?

MARIE

Naturellement : c'est la banque de son oncle. Il lui donnera tous les congés qu'elle voudra.

THÉRÈSE

Tout s'explique...

MADAME BAZIN

Tu auras beau dire, fillette, cela me paraît une drôle d'idée de vouloir travailler chez les autres. Je ne comprends pas qu'il y ait des gens pour accepter qu'on les commande! Moi, j'ai toujours aimé être mon maître.

LA VENDEUSE

Tout le monde, madame. C'est pourquoi nous devons féliciter très chaleureusement et encourager les jeunes filles d'excellente famille

comme Mlle France qui savent renoncer d'elles-
mêmes à des avantages sociaux, déjà illusoires,
hélas! Mais je suis sûre que les merveilleux petits ensembles que M. Lapérouse a spécialement
conçus pour les jeunes filles qui travaillent, lui
adouciront beaucoup l'épreuve. Leurs noms déjà
ne sont-ils pas charmants? L'un de grosse faille
marron avec une petite cape de loutre s'appelle
« Les Quarante heures », et l'autre, plus habillé,
avec une blouse de lamé très sobre bleu nuit,
qu'égaie un simple clips de perles fines, « La
Petite syndiquée ».

MADAME BAZIN

C'est curieux comme la langue française
évolue. De mon temps, des syndiqués, c'étaient
des gens qui faisaient dérailler des trains.

LA VENDEUSE se relève.

Voilà. Si vous voulez bien patienter cinq minutes, mademoiselle, nous revenons avec la petite cape qui vous permettra de juger de l'effet
d'ensemble. Venez, vous autres. Il va falloir que
nous nous dépêchions si nous voulons ne pas
rater le train.

> Elle va sortir, suivie des ouvrières. Thérèse court
> après elles, prend la petite arpète, étonnée,
> par le bras.

THÉRÈSE

Ecoute, toi... Vous permettez, mademoiselle, je voudrais dire un mot à cette petite.

LA VENDEUSE

Mais je vous en prie, mademoiselle. Tu monteras nous retrouver à la lingerie, Léontine.

THÉRÈSE entraîne la petite vers un coin.

Tu t'appelles Léontine?

LA PETITE

Oui.

THÉRÈSE

Quel âge as-tu?

LA PETITE

Quatorze ans. Mais je ne suis pas grosse. On est cinq à la maison, je suis la plus petite...

THÉRÈSE

Je te fais veiller ce soir pour ma robe...

LA PETITE

Oh! ce n'est pas la première fois, allez. Cette fois, c'est plutôt amusant, le voyage.

THÉRÈSE

Ecoute, je voulais te dire, Léontine, moi
aussi, je sais que ce n'est pas vrai ce qu'elles
disaient... Moi aussi, je sais que c'est long de
travailler, que c'est fatigant, que c'est morne et
que cela revient tous les jours... Alors voilà, je
je ne sais pas comment te dire cela... Cela va
peut-être te paraître bête... Elle vaut si cher cette
robe que je ne vais mettre qu'une fois... Tout
un an de ton travail chez Lapérouse... Ecoute.

Elle est gênée, elle se penche à son oreille.

Je te demande pardon pour ma robe, Léontine...

Elle la pousse dehors.

Allez, va vite, va vite, maintenant... Et ne
fais pas cette tête. Ce n'est pas si drôle, après
tout...

*La petite se sauve, Mme Bazin la regarde passer
par-dessus ses lunettes.*

MADAME BAZIN

C'est effrayant comme ces petites sont mai-
gres. Mais cela ne m'étonne pas. Je les ai vues
faire à Paris; elles déjeunent d'un café-crème et
d'un croissant. Elles aiment mieux acheter du
rouge à lèvres que des entrecôtes. Moi, je suis
vieille maintenant et je suis obligée de suivre

un régime, mais quand j'étais jeune, je n'aurais
pu pour rien au monde me passer de viande
rouge.

> Thérèse se détourne brusquement, comme si elle
> allait lui dire quelque chose; elle rencontre le
> regard d'Hartman qui sourit derrière sa pipe.
> Elle s'arrête, sourit aussi.

MADAME BAZIN, rangeant ses affaires.

Là. j'ai terminé mon rang. Je mets longtemps
à les faire, ces tricots; et je saute des mailles
par-ci par-là — je n'ai jamais été bonne ouvrière. Mais les pauvres vous sont si reconnais-
sants quand ils savent qu'on les a faits soi-
même!

A Marie.

Toi qui veux nous faire croire que tu es obligée d'entrer dans un bureau pour avoir davantage d'argent de poche, tu sais pourtant bien
que si tu avais voulu tricoter avec moi pour les
pauvres je t'aurais donné cinq cents francs par
chandail. Et au moins, comme cela, nous aurions fait toutes deux une bonne action.

> Marie hausse les épaules sans répondre. On sent
> que c'est une vieille discussion épuisée.

Enfin! ces petites filles modernes n'ont pas
comme nous le souci de la charité. Nous, on

nous avait habituées à nous faire beaucoup de
mauvais sang pour les malheureux. Elles? Elles
ne pensent qu'à leurs babioles.

Elle se lève.

Je m'en vais voir mes rosiers avant qu'il fasse
tout à fait nuit. J'ai une espèce extrêmement
fragile, qui m'a coûté les yeux de la tête et qui
me tracasse beaucoup. Vous me rappellerez,
Thérèse, pour la petite cape? Tu m'accom-
pagnes, petite?

MARIE se lève.
Si vous voulez, ma tante.

MADAME BAZIN, sortant, appuyée sur son épaule.
Tu vois, eh bien, ces pauvres diables
manquent toujours tellement de lainages en
hiver, que si tu avais voulu tricoter avec moi,
j'aurais été jusqu'à mille francs par chandail.

Elles sont sorties.

HARTMAN sourit à Thérèse.
Hum! je crois que cette fois nous avons été
tout près de l'intervention vengeresse...

THÉRÈSE baisse la tête, sourit.
Moi, cela ne me fait plus rien. Seulement,

j'ai eu honte à cause de cette petite... Je suis sotte.

HARTMAN, grave.

Vous n'êtes jamais sotte, Thérèse.

Un silence. Ils écoutent. On entend Florent qui joue à côté.

THÉRÈSE murmure, avec un sourire plein de tendresse.

Il joue bien. Il est heureux, n'est-ce pas? Je m'applique.

HARTMAN

Il est heureux.

THÉRÈSE

Je veux croire en lui, Hartman, je veux croire en eux... Je veux comprendre, tout comprendre. Avant, je n'essayais jamais de comprendre. Je disais : je suis trop jeune, je comprendrai quand je serai vieille. Je voulais pouvoir me révolter de toutes mes forces. Maintenant...

HARTMAN

Maintenant?...

THÉRÈSE sourit.

J'essaie...

Un silence.

Mais pourquoi sont-ils si charmants, si clairs et si durs sans le savoir?

HARTMAN

Mme Bazin a toujours vécu dans ses belles maisons, avec ses rosiers et ses petits ouvrages...

THÉRÈSE

Marie est sûrement bonne et pure, mais je la sens tranchante comme du cristal. Elle me fait peur.

HARTMAN

Elle vient de sortir de son collège, sans honte, sans chair, avec ses mille idées toutes neuves...

THÉRÈSE, avec un pauvre sourire.

Et lui?

HARTMAN a un geste.

Il est lui.

THÉRÈSE

Vous les avez écoutées tout à l'heure. Elles n'ont pas dit une mauvaise parole. Elles n'ont pas parlé une fois de leur intérêt ou de leurs privilèges, et pourtant comme tout ce qu'elles ont dit avec la conscience que c'était juste et bon,

était impitoyable... J'essaie de bavarder avec
Marie souvent; rien ne devrait plus se ressembler que deux filles du même âge. C'est cocasse,
nous ne trouvons rien à nous dire. Mme Bazin
me donne quelquefois des conseils sur la vie.
C'est moi qui me sens une petite vieille à côté
d'elle, c'est moi qui ai peur de lui en apprendre
trop.

HARTMAN lui a pris la main.

Comme vous dites cela avec calme, maintenant!...

THÉRÈSE sourit.

J'ai tant crié!... Oh! ces six jours, ces six hor-
ribles jours... Quelquefois, dans moi, c'était
comme un cheval qui se cabrait...

Un temps. Elle rêve un peu.

Il s'est sauvé. Il court. Il est loin déjà... Il ne
faut pas le regretter, c'était sûrement une mauvaise bête.

HARTMAN

Ne dites pas cela, Thérèse. C'était un bon
cheval, fier et noir, magnifique... Mais il ne faut
pas regretter, non, de l'avoir laissé se sauver,
puisque c'était le prix de votre bonheur. Ce
sale bonheur qu'il voulait fuir de toutes ses

forces, vous vous souvenez? Je suis sûr qu'il a déjà commencé à vous envelopper, à vous faire vivre, ce sale bonheur...

THÉRÈSE

C'est vrai. J'ai besoin de leur chaleur, maintenant qu'ils m'ont enlevé la mienne... Mais comme c'est une comédie étrange, leur bonheur!

HARTMAN

Il faut apprendre votre rôle.

THÉRÈSE

Je l'apprends de toutes mes forces. Je me sens déjà baignée de facilité, de douceur. Je me sens moins dure, moins pure aussi... Je sens la quiétude qui fait ses sûrs ravages en moi, chaque jour, comme un vice. Je ne cherche plus le fond des choses : je comprends, j'explique, j'exige peu... Je deviens sans doute aussi moins vulnérable. Bientôt toutes mes peines seront parties se cacher en rampant sous des pierres et je n'aurai plus que des douleurs d'oiseau, comme eux.

HARTMAN

Vous dites « bientôt »? Elles ne sont pas toutes parties encore?

THÉRÈSE sourit encore.

Chut! Ecoutez comme il joue...

Un silence, la musique.

Comme tout est facile quand il joue. Je suis comme un petit serpent qui a perdu toutes ses dents venimeuses... Je n'ai plus qu'à attendre de devenir vieille en l'écoutant jouer, comme cela. Ecoutez... Chaque note remet quelque chose à sa place idéale... Ah! c'est une organisa-sation merveilleuse et redoutable, Hartman, que leur bonheur! Le mal devient un mauvais ange qu'on combat joyeusement pour se donner de l'exercice et qu'on terrasse toujours. La mi-sère, une occasion de se prouver sa bonté en étant charitable... Le travail, comme disait l'autre tout à l'heure, un passe-temps agréable pour les oisifs... L'amour... cette joie lisse, sans sursauts, sans doutes, sans déchirements. Ecoutez comme il joue, Hartman, sans rien se demander jamais. Je ne suis qu'une joie parmi ses autres joies. Dès qu'il a cru qu'il m'avait enfermée dans son bonheur — sa petite larme versée — il n'a plus jamais douté de rien. Il est sûr de moi comme de toutes choses.

Elle ajoute tout bas.

... Moi qui suis si peu sûre de moi, pourtant.

HARTMAN

Il vous aime, Thérèse.

THÉRÈSE

Je veux le croire, Hartman, je veux le croire de toutes mes forces — mais cette larme qu'il a versée sur moi et que j'ai cueillie au bout de mon doigt, si seulement j'avais pu la conserver dans une petite boîte... Elle s'est séchée et maintenant je n'ai plus rien.

HARTMAN

Vous avez votre anxiété et votre amour... C'est la plus belle part.

THÉRÈSE

Hartman, il n'en a même pas besoin, de mon amour, il est bien trop riche!...

Elle s'est dressée, elle crie.

Oh! mais je ne suis pas tout à fait apprivoisée encore et il y a des choses que je ne veux pas comprendre...

Soudain elle s'arrête surprise. La fille de cuisine passe lentement sur la terrasse, dévorant Thérèse des yeux. On sent qu'elle a peur, qu'elle est dans une partie du jardin qui lui est interdite. Quand Thérèse s'est retournée, elle s'est sauvée, en balbutiant, confuse.

LA FILLE DE CUISINE
Oh! pardon, mademoiselle. Je passais...

HARTMAN va à Thérèse.
Vous n'avez jamais remarqué son manège? Chaque soir, elle passe pour vous dans cette partie du jardin qui lui est interdite. Elle risque de se faire gronder ou renvoyer, mais elle est retenue tout le jour à la cuisine et, ne fût-ce que quelques secondes chaque soir, elle veut vous voir, se nourrir de vous. C'est vous peut-être son bon Dieu.

THÉRÈSE
Moi? C'est grotesque...

HARTMAN
Elle doit vous trouver si belle, si propre, si parfumée, ce petit souillon. Elle doit souffrir pour vous. Elle ne vous a pas une seule minute à elle et elle ne se révolte pas.

THÉRÈSE balbutie.
Mais, Hartman...

HARTMAN
Elle vous aime. Et pourtant vous ne lui avez jamais dit un mot pour l'aider à croire. Et, qui

sait, elle-même a peut-être un chien attaché dans
la cour qui l'attend chaque soir pour se nourrir
de son regard et qu'elle ne remarque même pas...

Un silence. On entend Florent jouer.

THÉRÈSE, doucement.

C'est bien de m'aider, Hartman. Mais comme
il faut racler tout son orgueil pour aimer ainsi.

HARTMAN

Laissez-vous aller. Vous verrez, il dispense
mille bonheurs autour de lui, si on sait le recevoir humblement. Peu à peu, un étrange travail se fera en vous. Laissez-vous aller. Vous
finirez par penser à leur manière, tout naturellement. J'ai été un être humain, révolté, moi
aussi. Mais les jours clairs sont passés sur moi,
l'un après l'autre... Vous verrez, peu à peu vous
arriverez à ne plus avoir mal du tout. A ne plus
rien exiger d'eux, qu'une petite place dans leur
joie.

THÉRÈSE, après un silence.

Mais c'est un peu comme si on était mort...

HARTMAN

Un peu.

THÉRÈSE

Moi, je l'aime. Je veux bien être une morte près de lui. Mais vous, Hartman? Il m'a dit que vous étiez riche, que vous pourriez vous passer d'être son impresario?

HARTMAN, doucement.

J'aime le dieu qui habite ses mains.

Un silence. On entend Florent qui joue toujours.

THÉRÈSE dit soudain d'une petite voix
du fond du grand fauteuil où elle est pelotonnée.

Ce qu'il faut, c'est ne jamais penser qu'il y en a d'autres qui vivent, qui se battent, qui meurent... Je resterai toujours ici et quand je sortirai ce ne sera qu'avec eux, dans leurs beaux trains, dans leurs hôtels aux hôtes polis, n'est-ce pas, Hartman?

HARTMAN, doucement.

Oui, Thérèse.

THÉRÈSE

Je ne poserai jamais les yeux qu'aux endroits où ils posent les leurs, sur les fleurs, sur les belles pierres, sur les bons visages... Et je deviendrai facile et claire comme eux, sans plus rien savoir.

Elle répète comme une enfant émerveillée.

Sans plus rien savoir, Hartman; c'est cela qui doit être bon, de ne plus rien savoir.

HARTMAN
Oui, Thérèse.

THÉRÈSE
C'est un truc pour les malins, le bonheur, pour les habiles... Mais soyez tranquille, j'apprendrai, moi aussi.

HARTMAN, avec un peu de nostalgie.
Oui, Thérèse, vous aussi.

LA FEMME DE CHARGE, entrant soudain.
Mademoiselle... Mademoiselle... c'est monsieur votre père qui vient d'arriver.

THÉRÈSE est devenue pâle.
Mon père?

LA FEMME DE CHARGE
Oui, mademoiselle. Il a l'air affolé... Il est venu en taxi de la gare. Il dit qu'il faut que mademoiselle le reçoive tout de suite.

HARTMAN
Je vous laisse, Thérèse, si vous avez besoin de moi, je veille tard à ma fenêtre, le soir.

Il sort. Tarde entre affolé. Il fait un grand geste
que l'attitude de Thérèse coupe court. La
femme de charge les laisse. Tarde recommence
le même geste en un peu moins grand.

THÉRÈSE

Eh bien, qu'est-ce qu'il y a?

TARDE

C'est horrible!

THÉRÈSE

Qu'est-ce qui est horrible? Je t'avais défendu
de venir ici.

TARDE

Je te dis que c'est horrible. Ta pauvre mère...

THÉRÈSE

Qu'est-ce qu'elle a?

TARDE

Oh! là, là!

THÉRÈSE

Mais parle donc! Elle est blessée, morte?

TARDE

Ou peut s'en faut! Elle est tombée sur le coin
du piano.

THÉRÈSE

Et c'est pour cela que tu viens?

TARDE

Mauvaise fille! Elle est tombée sur la tête à demi assommée et pourquoi — tu sais pourquoi? C'est un homme bafoué qui te parle — elle avait un amant!

THÉRÈSE

Comment?

TARDE

Gosta.

THÉRÈSE

Mais voilà treize ans que tu le sais!

TARDE

J'étais seul à le savoir. Maintenant tout le monde le sait. Une scène publique, un esclandre horrible à l'orchestre, une discussion épouvantable. En te parlant, ton père sent le rouge de la honte qui lui monte au visage... Gosta lui a donné un coup de poing... C'était à cause de toi, naturellement!... Moi, j'étais absent, Dieu merci!

Un temps.

Quand je suis sorti des cabinets...

THÉRÈSE

Tu étais caché dans les cabinets?...

TARDE

Pourquoi caché? J'y étais par hasard. Quand je suis sorti des cabinets, il était parti — en plein concert, encore une fois! — ta mère revenait à elle. Il paraît qu'il a dit qu'il allait tuer ton fiancé. Il a pris son revolver. Tu sais quel homme je suis. J'ai sauté en taxi. Le train. Un second taxi. J'ai dix-sept francs pour le premier taxi, quatre-vingts francs pour le train — c'était un rapide où il n'y avait que des premières et des secondes. Le second taxi depuis la gare : vingt-cinq francs... Il attend à la porte... Dans ma précipitation, je n'ai pas pris un sou sur moi...

> Il tapote ses poches pour la forme. Un silence, elle ne bouge pas. Il recommence à tapoter ses poches.

Le compteur marche... Si tu peux me donner... Je vais toujours régler...

THÉRÈSE lui crie soudain.

Je te donnerai ton argent. Tais-toi un peu!

TARDE ne tient pas en place à cette pensée.

C'est que... le compteur tourne, fillette...

THÉRÈSE
Laisse-le tourner.

TARDE
Tu me reçois bien mal. Tu aurais pu me remercier de manquer une représentation pour venir t'avertir de ce danger. Tu n'as pas quitté le métier depuis si longtemps, tu sais comme un remplacement est toujours mal vu de la direction... Gosta remplacé, moi aussi... Ta mère, la tête entourée de gaze et de bande velpeau... Nous nous ferions renvoyer de là aussi, que je n'en serais pas autrement surpris...

THÉRÈSE le supplie presque.
Tais-toi, dis, tais-toi. Je te donnerai tout l'argent que tu voudras.

TARDE
Je me tais.

THÉRÈSE, après un silence.
Gosta a été très malheureux depuis que je suis partie?

TARDE
Un déchet. Il n'arrête plus de boire. Il ne battait même plus ta mère... C'est te dire! Je

vais te faire rire : un soir, je l'ai trouvé pleurant comme un veau dans un coin sur la petite couverture ouatinée que tu mettais sur ton violon... Tu sais, la petite couverture de satin rouge qu'il t'avait donnée, quand tu étais encore enfant.

THÉRÈSE

C'est vrai, papa?

TARDE

Quel original! Il s'est battu deux fois à cause de toi. La première fois avec le père Lebonze le jour de notre départ, parce qu'il avait dit je ne sais plus trop quoi sur ton compte. Entre nous, je t'avouerai que je n'étais pas fâché qu'il lui rive son clou, au père Lebonze. Tu sais que cet animal-là ne nous a pas payé tout ce qu'il nous devait? Nous l'avons traîné aux prud'hommes... Mais enfin, cela c'est une autre histoire. La seconde fois, c'est avec le garçon de café du Royal. Tu sais, le grand brun qui avait l'air voyou? Il lui avait demandé en rigolant de tes nouvelles... Ç'a été terrible, cette fois-là. Gosta tenait un siphon, l'autre avait sorti son couteau. Cela s'est terminé au commissariat. Tu vois la réputation que cela fait à l'orchestre! Moi qui me donne tant de mal... Enfin! après ce coup-là, je pensais qu'on allait être tranquille; pas du tout, voilà que cet après-midi, c'est ta mère, cette imbécile, qui lui a dit que tu étais certainement très heureuse ici.

THÉRÈSE

C'est pour cela, papa, qu'il l'a battue?

TARDE

Pour cela, fifille. Ah! C'est ce qu'on appelle un gaillard irascible!

THÉRÈSE

Mais enfin, qu'est-ce que cela peut lui faire que je sois heureuse!

TARDE

J'allais te le dire, fifille!

Il est soudain inquiet.

Mais, écoute, il est peut-être inutile tout de même que le taximètre tourne si longtemps. Si tu peux me donner...

THÉRÈSE *crie soudain, angoissée.*

Pourquoi es-tu venu me dire tout cela, papa?

TARDE

Tu plaisantes. Tu es ma fille. Il est mon

gendre, enfin, mon futur gendre. Je n'allais pas
vous laisser massacrer. Il faut appeler sur-le-
champ les gendarmes... Personnellement, je ne
te cache pas que je préfère qu'il ignore ma
visite. Aussi, si tu peux me donner... J'ai justement un train dans une demi-heure...

Un silence. Il ajoute malgré lui.

...et le taxi est à la porte. Je n'aurai pas de nouvelle prise en charge parce que, comme je te le
disais, il n'a pas arrêté son...

Il fait le geste.

THÉRÈSE lève la tête, égarée, elle n'écoutait pas.
Hein?

TARDE répète avec effort.

Je disais que si je reprenais le taxi tout de
suite pour partir, je n'aurais pas de nouvelle
prise en charge parce que, depuis tout à l'heure,
le compteur n'a pas cessé de tourner... Au ra-
lenti, c'est vrai, mais de tourner tout de même...

THÉRÈSE ne l'a pas écouté encore, elle balbutie.
Pourquoi es-tu venu, papa? Ce n'est déjà pas
si commode, tu sais, d'arriver à être heureuse.

TARDE

Mais tu es drôle, fillette; si je suis venu malgré le danger et la dépense, c'est que j'ai pensé

que c'était mon devoir. Si tu peux me donner dix-sept... plus quatre-vingts... plus quinze.

THÉRÈSE

Tiens, voilà deux cents francs. Tais-toi...

TARDE

Mais, c'est qu'il y a le retour, ma petite fille...

THÉRÈSE

Tiens, tiens...

TARDE

Mais tu sais que tu me donnes trop maintenant!...

Il fait encore semblant de se fouiller.

Je n'ai pas de monnaie sur moi. Faudra-t-il que je te renvoie le reliquat par mandat-poste? Je te redois une soixantaine de francs...

THÉRÈSE

Il pleurait sur ma petite couverture rouge, papa?

TARDE pouffe.

Comme un veau, fifille, comme un veau!

Il voit que Thérèse ne rit pas, il rectifie.

Enfin, comme un homme désespéré.

Son inquiétude le reprend.

...un homme désespéré qui sera là dans cinq minutes. Tu sais comme c'est vite fait de nos jours et comme avec ces pistolets automatiques on est si peu regardant sur le nombre de cadavres. Le père, la mère, tout y passe avec la fillette. Je t'assure que tu devrais prendre une décision...

Il tire sa montre.

Quant à moi, si je ne veux pas rater mon train...

THÉRÈSE murmure.

Gosta est en marche, lui aussi, papa... Tous les personnages de mon passé seront venus ici les uns après les autres pour me reprendre.

TARDE

J'espère bien, ma petite, qu'en arrivant ici ce qu'il va trouver, c'est deux pandores qui lui mettront la main au collet! Les pleurnicheries, c'était déjà ridicule, mais enfin, cela passait encore. Mais les batailles pour toi, le départ avec le revolver... Qu'est-ce qu'il se figure, ce coco-là?

THÉRÈSE

C'est vrai, papa, qu'est-ce qu'il se figure, qu'est-ce que vous vous figurez tous?

TARDE

C'est l'amant de ta mère. Bon. Qu'il le lui fasse à elle, son drame passionnel, s'il en a envie! Mais toi, ma toute mignonne, venir te relancer jusque chez ton fiancé... Le soir où tu essaies ta chaste robe blanche... Elle est merveilleuse! Mais je finis par douter de tout, moi! Tu es certaine que tu n'avais jamais couché avec lui?

THÉRÈSE sourit malgré elle.

Certaine, papa. Je ne lui ai pas parlé trois fois gentiment.

TARDE

Alors, qu'espère-t-il? Quand il aura tiré ses coups de revolver ici, qu'il atteigne ou non ton fiancé, où en sera-t-il? Quel avantage cela lui aura-t-il procuré?

THÉRÈSE

Celui de me perdre enfin d'une façon irrémédiable, papa. Celui d'être enfin arrivé tout au bout de son mal. Vous ne le savez pas, vous autres, mais tout au bout du désespoir, il y a une blanche clairière où l'on est presque heureux.

TARDE

Un drôle de bonheur!

THÉRÈSE

Oui, papa, un drôle de bonheur, qui n'a rien de commun avec votre bonheur à vous. Un affreux bonheur. Un sale, un honteux bonheur.

Elle crie soudain; prise de panique, elle s'accroche à lui.

Mais je n'en veux plus, je n'en veux plus de celui-là, papa! Je veux être heureuse, moi aussi! Je veux être heureuse comme les autres! Je ne veux plus rien savoir de vous...

LA FEMME DE CHARGE entre.

Mademoiselle. C'est encore un monsieur qui vous demande.

TARDE hurle.

Un monsieur comment, un monsieur comment, nom de Dieu? Un monsieur comment?

GOSTA est entré.

C'est moi, Thérèse.

THÉRÈSE à la femme de charge.

Laissez-nous.

La femme de charge sort.

GOSTA, sourdement, sans bouger.

Où est ton fiancé? j'ai à lui parler...

Il a fait un pas, Tarde recule et gueule, les mains
en l'air.

TARDE

Ah! non, pas moi! Pas moi, Gosta! Je n'ai rien
fait, moi, je suis là par hasard, par hasard, tout
à fait par hasard.

Il veut crier, mais sa voix se casse..

Au secours!

GOSTA

Ta gueule, toi.

TARDE passe derrière Thérèse.

C'est cela, ma gueule, ma gueule... Tu as raison, Gosta, ma gueule. Je n'y suis pour rien. Je
n'ai qu'à me taire.

GOSTA

Où est ton fiancé?

THÉRÈSE

Sors ta main de ta poche, Gosta.

GOSTA

Où est ton fiancé? il faut que je lui parle.

THÉRÈSE

Sors ta main de ta poche; tu entends, je t'or-
donne de sortir ta main de ta poche.

TARDE, dans son coin.

C'est cela, qu'il sorte la main de sa poche.

GOSTA

Où est ton fiancé, Thérèse? je te dis qu'il faut
que je lui parle.

THÉRÈSE lutte avec lui.

Sors ta main de ta poche, je le veux. Sors ta
main de ta poche et donne-moi ça.

TARDE, de loin.

Sois prudente, fillette, sois prudente.

GOSTA, essayant de la repousser.

Laisse-moi, Thérèse.

THÉRÈSE, qui lutte.

Tu me le donneras...

GOSTA

Mais laisse-moi, bon Dieu...

THÉRÈSE

Ne te débats pas, tu vas me blesser... Lâche-le, Gosta, ou je me fais partir le coup dans le ventre... C'est cela que tu veux, n'est-ce pas? C'est cela que tu veux?

Elle lui a arraché le revolver.

TARDE

Ouf!...

THÉRÈSE

Regarde-moi, maintenant.

GOSTA, la tête baissée.

Non.

THÉRÈSE, dure.

Regarde-moi, Gosta.

GOSTA lève la tête.

Quoi?

THÉRÈSE

Tu voulais me tuer?

GOSTA

Oui.

THÉRÈSE

Pourquoi?

> Un silence, Gosta détourne les yeux.

Réponds. Pourquoi?

GOSTA

Je ne sais pas.

TARDE explose, il est rassuré.

Ah! ça, alors, c'est magnifique! Il ne sait pas!...
Donne-moi ce pétard, fifille, donne-moi ce
pétard...

> Un silence encore.

GOSTA murmure, soudain.

Je suis une brute d'être revenu, Thérèse.
Appelle ton fiancé pour qu'il me flanque à la
porte avec un coup de pied au derrière. Je ne
mérite pas autre chose.

THÉRÈSE, dure.

Je ne veux pas qu'il sache que quelqu'un
s'est cru assez de droits sur moi pour venir me
faire une scène. Va-t'en tout seul.

GOSTA

Tu as raison. Je ne vaux même pas la peine
d'un esclandre.

THÉRÈSE, doucement.

Je ne t'aime pas, Gosta. Je ne t'ai jamais aimé.
Même si je ne l'avais pas rencontré, lui, je n'aurais jamais pu t'aimer. Est-ce que tu as pensé
cela en venant ici?

GOSTA

Oui, je l'ai pensé.

THÉRÈSE

Et tu es venu quand même?

GOSTA

Voilà une demi-heure que j'hésite devant la
grille...

THÉRÈSE

Pourquoi es-tu entré? Je ne veux pas te voir.
Je suis heureuse ici, tu entends. Je suis heureuse
et je l'aime. Je ne veux plus avoir affaire avec
ta peine et ta misère. Je l'aime, tu entends,
Gosta; je l'aime... Qu'est-ce que tu es venu faire
ici, avec ton malheur à bout de bras? Et d'abord,
pourquoi te permets-tu de sourire quand je te
dis que je l'aime et que je suis heureuse? Tu es
laid, Gosta, tu es vieux, tu es paresseux. Tu
disais toujours que tu aurais pu faire mieux que
les autres, mais tu n'as jamais rien fait...

GOSTA, qui la regarde intensément.

Non, Thérèse.

THÉRÈSE

Tu bois parce que, quand tu es soûl, il te semble que tu pourrais faire quelque chose et tout ton argent y passe. Tu n'as plus un costume à te mettre et de cela aussi tu es fier, parce que tu crois qu'un veston troué au coude et plein de taches, c'est la défroque du génie... Eh bien, ce courage, cette force dont tu te crois plein, ce serait peut-être d'essayer de ne plus boire et de t'acheter des souliers, Gosta...

TARDE

Fifille, fifille, ne l'exaspère pas...

THÉRÈSE

Tes mains tremblent, sur le clavier. Tu accroches les notes de plus en plus, n'est-ce pas? Eh bien, ton amour, ton grand amour de la musique, ce serait peut-être de ne plus boire pour te guérir et de travailler tous les jours, Gosta.

GOSTA, qui la regarde toujours.

Oui, Thérèse.

THÉRÈSE

Ton amour pour moi, ç'aurait peut-être été aussi de ne pas venir. Tu as pris ce revolver et tu t'es mis en marche en te croyant un justicier... Eh bien, ta justice, je vais te dire ce que c'était, moi, si tu ne l'a pas compris tout seul : c'était ta haine. Ta haine de raté pour tout ce qui est plus beau, plus réussi que toi!

GOSTA crie soudain.

Ce n'est pas vrai, Thérèse!

THÉRÈSE

Si, c'est vrai.

Elle crie soudain.

Tu crois que je ne sais pas tout ce que tu penses? Tout ce que tu penses, je le sais, je le sais mieux que toi, Gosta!

> Un temps. Gosta a baissé la tête. Elle continue plus bas d'une étrange voix rauque.

Quel orgueil, quelle vanité odieuse! Je veux bien te plaindre, avoir pitié de toi, mais si tu as cru que notre misère, notre poisse, notre crasse étaient des titres de noblesse, tu t'es trompé.

GOSTA, sourdement.

C'est toi qui dis tout cela, Thérèse?

THÉRÈSE

Oui, c'est moi. Oui. Qu'est-ce que tu as à me dire encore?

GOSTA

Rien, Thérèse. Tu as raison.

THÉRÈSE

Alors, va-t'en. Allez-vous-en tous les deux. Je veux être heureuse et ne jamais plus penser à vous. Vous êtes malheureux, mais ça m'est égal. Je m'en suis tirée, moi! Vous êtes laids, vous êtes sales, vous êtes pleins de sales pensées et les riches ont bien raison de passer vite à côté de vous dans les rues... Allez-vous-en, allez-vous-en vite que je ne vous voie plus...

> Elle criait, elle s'écroule brusquement en sanglots en gémissant.

Mais allez-vous-en donc! Vous voyez bien que je n'en peux plus de vous porter dans mon cœur.

> Elle a glissé par terre. elle sanglote comme une enfant. Les deux hommes la regardent inter- dits, les bras ballants, sans oser rien faire... La musique, qui avait cessé, reprend. Gosta écoute longtemps; les sanglots de Thérèse se sont tus. Tarde aussi arrondit le dos et écoute.

Au bout d'un moment Gosta se retourne et demande.

GOSTA

Qui est-ce qui joue là?

THÉRÈSE, doucement.

C'est lui.

GOSTA, après un silence.

C'est de lui, ce qu'il joue?

THÉRÈSE

Oui, c'est de lui.

GOSTA demande encore après un autre silence.

Comment peut-il faire?

THÉRÈSE

Il fait tout comme cela, Gosta; sans se donner de peine, sans rater, sans recommencer, sans souffrir.

Un silence encore, la musique les enveloppe.

GOSTA

Comment peut-il faire, Thérèse? Moi, je cherche, j'efface, je rature et tout s'échappe entre mes mains.

Un silence encore, plein de musique. Gosta bouge enfin, va à Thérèse.

Il faut que tu nous oublies, petite... Je comprends maintenant qu'on aurait jamais dû revenir te montrer nos sales têtes. Mais cela ne va plus être long... On va passer dans le jardin, tu vas nous voir marcher encore jusqu'à la limite de la lumière et puis après, tu ne verras plus que la nuit. Ce sera fini. On sera morts, et tu pourras enfin être tranquille...

Ils écoutent encore la musique qui s'affirme. Soudain Gosta s'arrache au sortilège, va jusqu'à la porte.

Thérèse, un jour, plus tard... si la conversation s'y prête... Tu lui diras que j'étais venu pour le tuer et puis que je suis reparti.

TARDE, *qui l'a suivi, soudain vieilli, usé, minable.*
Tu lui diras aussi, fifille, que j'y ai bien repensé à cette histoire d'argent et que je tâcherai de lui en rendre une partie...

La vendeuse et ses ouvrières reviennent avec la robe. Tarde les voit, prend le bras de Gosta.

Allez, filons maintenant nous deux. On n'a pas besoin de nous voir ici.

Il entraîne Gosta, ils disparaissent.

LA VENDEUSE, *soudain vivante, bruyante, bavarde.*
Voilà. Je vous ai fait attendre, mademoiselle.

Je vous demande pardon. Nous allons nous
dépêcher d'ajuster la petite cape pour que vous
puissiez juger de l'effet de l'ensemble... Sans
elle, on ne peut rien voir. Aide-moi, toi, voyons...

Elles travaillent.

Cela va sans doute être une très belle céré-
monie...

THÉRÈSE, qui va parler maintenant
comme une somnambule.

Très belle, oui.

LA VENDEUSE

Quelle est la couleur des demoiselles d'honneur?

THÉRÈSE

Rose.

LA VENDEUSE

Ah! M. Lapérouse a été navré de ne pas être
chargé de leurs robes... Je dois dire qu'il avait
une idée extrêmement séduisante... Mais il a
très bien compris les scrupules de Mlle France.
Elles sont six, je crois?

THÉRÈSE

Six, oui.

LA VENDEUSE

Cela va être délicieux... On arrive à faire des cérémonies d'un style tout à fait spécial et réellement exquis dans ces petites églises de campagne. Il y aura sans doute de petits enfants pour la traîne? On aime tant cela de nos jours.

THÉRÈSE

Quatre petits enfants...

LA VENDEUSE

Comme cela va être joli! Et puis les fleurs, la musique... Vous allez sans doute faire un très beau voyage après? Oh! je suis extrêmement indiscrète, pardonnez-moi...

THÉRÈSE

La Suisse et l'Italie...

LA VENDEUSE

La Suisse et l'Italie. Croyez-moi, c'est classique, mais c'est ce qu'il y a de plus beau. Quel merveilleux bonheur!

THÉRÈSE *répète doucement.*

Quel merveilleux bonheur, oui...

Elle tressaille soudain, s'échappe de leurs mains.

Ecoutez, laissez-moi seule un instant... s'il vous plaît. Laissez-moi seule...

LA VENDEUSE s'est relevée, interloquée.

Mais, mademoiselle...

THÉRÈSE

Laisez-moi, dites, laissez-moi. Elle va très bien, cette robe... Laissez-moi...

LA VENDEUSE*

Mais, mademoiselle, nous n'avons pas fini l'essayage et notre train est dans une demi-heure...

THÉRÈSE

Je vous assure qu'elle va très bien et puis cela n'a pas tellement d'importance... Montez à la lingerie, je vous rejoins. Je vous rejoins, je vous assure que je vous rejoins... et que je fais tout ce que vous voulez après... mais laissez-moi... Laissez-moi un peu.

LA VENDEUSE, pincée.

C'est comme mademoiselle voudra. Nous finirons tout cela là-haut...

Elle passe sa contrariété sur la petite.

Allons, ramasse tes épingles, toi! Tu veux donc nous faire rater le train?

> Elles sont sorties. Un silence. Thérèse enlève sa couronne de mariée et sort brusquement. A côté, la musique s'arrête. Un temps. Florent paraît.

FLORENT

A qui parlais-tu, Thérèse?

> Il ne la voit pas. Il regarde dehors; quand il revient, elle rentre avec son manteau, sans chapeau, elle tient la robe blanche, elle la pose sur un fauteuil.

Je te cherchais... Où vas-tu, ma chérie?

THÉRÈSE

Je voulais faire un petit tour d'une minute dans le parc.

FLORENT

Tu as mis ton manteau? Mais il fait chaud...

THÉRÈSE, doucement.

J'ai un peu froid.

FLORENT l'attire à lui.

Tu sais que j'ai arrêté avec Hartman tous les détails de notre voyage, cet après-midi. Cela a été très compliqué. Je voulais t'emmener dans

tous les endroits que j'avais aimés... Nous ne
serions jamais revenus de ce voyage... Pourtant,
je sais déjà un rocher au bord du lac de
Lucerne où il faudra que tu viennes t'asseoir
avec moi, le matin, avant que le soleil soit tout
à fait levé... Je sais aussi le portrait d'une petite
princesse de la Renaissance qui te ressemble et
que nous irons voir ensemble au Musée des
Offices...

THÉRÈSE

Oui, mon chéri.

FLORENT

Ah! je suis heureux, ce soir... Il fait si beau...
Et toi?

THÉRÈSE sourit avec effort.

Moi aussi, mon chéri. Tu travaillais?

FLORENT

Tu as écouté? L'Andante vient bien...

THÉRÈSE

Va jouer encore, mon chéri, s'il te plaît...

FLORENT

Tu m'écouteras du jardin?

THÉRÈSE

Oui, mon chéri, va vite jouer... Tu en meurs
d'envie, je le vois à tes yeux.

FLORENT part après un petit baiser.

Cela vient bien, tu sais... Je suis heureux...

THÉRÈSE

Oui, mon chéri...

Quand il est sorti, Thérèse reste une minute sans
bouger, puis elle dit doucement.

Tu comprends, Florent, j'aurai beau tricher
et fermer les yeux de toutes mes forces... Il y
aura toujours un chien perdu quelque part qui
m'empêchera d'être heureuse...

La musique reprend à côté. Elle a fait une caresse
à la belle robe blanche, un geste inachevé...
Elle murmure, tournée vers le salon où joue
Florent comme si elle avait encore beaucoup
de choses à dire.

Tu sais...

Mais elle se détourne brusquement et s'enfonce
dans la nuit. La belle robe de mariée reste
seule, blancheur éblouissante dans l'ombre.
Hartman est apparu sans qu'on s'en aperçoive en haut des marches. Il a regardé
s'en aller Thérèse sans un mot. Un silence. Il

doit la suivre du regard là-bas à travers les vitres, dans la nuit du parc. Il murmure enfin :

HARTMAN

Et elle part, toute menue, dure et lucide, pour se cogner partout dans le monde...

La musique s'affirme à côté.

FIN DE LA SAUVAGE

L'INVITATION AU CHÂTEAU

PERSONNAGES

HORACE
FRÉDÉRIC } Jumeaux.

MADAME DESMERMORTES, leur tante.
LADY DOROTHÉE INDIA, leur cousine.
DIANA MESSERSCHMANN.
MESSERSCHMANN, riche financier, père de Diana.
PATRICE BOMBELLES, son secrétaire.
ROMAINVILLE, homme du monde.

ISABELLE, petite danseuse de l'Opéra.
SA MÈRE.

MADEMOISELLE CAPULAT, lectrice de Mme Desmermortes.
JOSUÉ, maître d'hôtel.

PREMIER ACTE

Un jardin d'hiver rococo — des peluches jaunes,
des plantes vertes, des vitres, du fer forgé —
largement ouvert sur un parc. Entrent Josué,
le maître d'hôtel, et Horace. Il a un gros
cigare, l'air d'un jeune viveur.

HORACE

Et cette nuit, la même chose?

JOSUÉ

J'ai le regret de devoir le dire à monsieur
Horace, oui.

HORACE

Il a encore couché sous ses fenêtres?

JOSUÉ

Oui, monsieur Horace. Depuis cinq jours,
que nous le voulions ou non, c'est un fait : la
chambre de monsieur Frédéric est dans le
massif de rhododendrons sur la face sud de

l'aile gauche, au pied de la statue de Calliope. Le jardinier trouve chaque matin ses fleurs saccagées, la femme de chambre, le lit intact. Je calme l'un et l'autre depuis cinq jours. Je me dépense, je me multiplie, mais je connais mon monde : le torchon brûle sous le boisseau. Un jour ou l'autre, ils parleront et madame saura.

HORACE

Vous avez déjà été amoureux, Josué?

JOSUÉ

Je suis au service de madame depuis plus de trente ans, monsieur Horace. Et d'ailleurs, maintenant je suis trop vieux.

HORACE

Et avant?

JOSUÉ

J'étais trop jeune.

HORACE

Moi, mon cher, j'ai juste l'âge et j'ai souvent été amoureux. Mais aussi stupidement que mon frère, jamais.

JOSUÉ

M. Frédéric aime comme un jeune homme.

HORACE

Il a pourtant le même âge que moi.

JOSUÉ

Selon la loi, qui veut que de deux jumeaux, l'aîné soit le second venu, M. Frédéric est même l'aîné. Mais la loi a beau dire, monsieur a tout de même vu le jour avant M. Frédéric.

HORACE

Je suis né dix minutes avant mon frère, c'est vrai. Mais je ne pense pas que ce soit cette légère avance qui m'ait mûri. Frédéric se conduit comme un enfant.

JOSUÉ

Cette jeune demoiselle le mènera loin.

HORACE

Pas si loin que cela, Josué! J'ai mon plan.

JOSUÉ

Si monsieur Horace a son plan, je suis tranquille.

HORACE

Pas un mot, mon cher. Je me suis levé tôt ce matin, parce que je suis décidé à agir. Le jour qui vient nous réserve d'étranges surprises. Cette aube nous promet du nouveau. Quelle heure est-il?

JOSUÉ

Midi, monsieur Horace.

HORACE

Nous serons fixés à midi trente.

Il sort. Au même moment entre Frédéric. C'est le même acteur.

FRÉDÉRIC

Josué!

JOSUÉ

Monsieur Frédéric?

FRÉDÉRIC

Mlle Diana est-elle descendue?

JOSUÉ

Pas encore, monsieur Frédéric.

FRÉDÉRIC

Ai-je l'air fatigué, Josué?

JOSUÉ

Si monsieur me permet d'être franc, oui, monsieur a l'air fatigué.

FRÉDÉRIC

Vous vous trompez, Josué, je n'ai jamais passé
une si bonne nuit!

JOSUÉ

Je me dois d'avertir monsieur que le jardinier
a l'intention de poser des pièges à loups dans les
rhododendrons, la nuit prochaine.

FRÉDÉRIC

Qu'il les pose. Je m'étendrai dans les zinnias.

JOSUÉ

Quant à la femme de chambre qui s'occupe
de l'aile gauche, elle n'a pas été sans manifester
sa surprise. Elle est venue me trouver toute
désemparée...

FRÉDÉRIC

Qu'elle se calme, Josué. Vous lui recomman-
derez dorénavant de défaire d'abord mon lit le
matin en s'y étendant au besoin elle-même...

JOSUÉ, indigné.

Oh! monsieur Frédéric...

FRÉDÉRIC

Pourquoi pas? Elle est charmante. Et puis de

le refaire quand il sera défait. Ainsi tout sera
dans l'ordre.

JOSUÉ

Bien, monsieur Frédéric.

Il sort.

Entre Diana. Frédéric se précipite au-devant d'elle.

FRÉDÉRIC

Diana! Quelle joie de vous revoir! Hier est
si loin!

DIANA s'arrête et le regarde.

Est-ce vous?

FRÉDÉRIC, avec un reproche tendre.

Oh! Diana. Comment pouvez-vous me demander?...

DIANA

Ah! non. Vous avez repris vos yeux de petit
chien perdu. C'est bien vous. Vous aviez l'air
si triomphant que j'ai cru un moment que
c'était votre frère.

FRÉDÉRIC

Si vous me préfériez Horace, je mourrais...

DIANA

Cher Frédéric! Croyez bien que cela ne pourrait arriver que par inadvertance. Vous vous ressemblez tellement!

FRÉDÉRIC

Nos cœurs ne se ressemblent pas.

DIANA

Non. c'est vrai. Mais supposez que je sois seule dans le parc un soir; les branches craquent derrière moi, c'est votre pas : des bras m'enveloppent, ce sont vos bras; des lèvres me pressent, ce sont vos lèvres... Vous comprenez qu'il me reste vraiment trop peu de temps pour savoir si le cœur correspond bien à cet ensemble.

FRÉDÉRIC

Mais Diana, je ne vous ai jamais embrassée ainsi dans le parc!...

DIANA

Vous en êtes bien sûr, Frédéric?

FRÉDÉRIC

Diana! Mon frère profite odieusement de notre ressemblance. Il me trahit. Il faut que je le trouve, il faut que je lui parle!...

DIANA éclate de rire et l'arrête.

Cher Frédéric! Cher bouillant, petit, Frédéric! C'était seulement une supposition. Personne ne m'a jamais embrassée dans le parc.

FRÉDÉRIC

Pouvez-vous me le jurer?

DIANA

Certainement Frédéric. Je puis étendre la main, cracher sur les tapis de madame votre tante. Si vous connaissez d'autres signes pour dénoncer la vérité, dites-les-moi.

FRÉDÉRIC baisse la tête.

Pardon, Diana. Je vous crois, bien entendu.

DIANA le regarde.

Le petit chien dont vous avez les yeux est tout à fait perdu, cette fois. Il ne retrouvera jamais son chemin.

FRÉDÉRIC

Si mon frère vous aimait, je me tuerais.

DIANA

Oh! Frédéric, ce serait terrible. On ne pourrait jamais savoir vraiment lequel de vous deux serait mort.

Elle rêve un petit peu.

Tout de même cela serait bien commode pour votre frère. Il n'aurait qu'à aller à l'enterrement, bien triste et puis après, me dire doucement à l'oreille : « Chut! ne le répétez pas, c'est moi. Tout le monde se trompe; c'est Horace qui s'est tué. » Qu'est-ce que vous voudriez que je réponde?

FRÉDÉRIC

Mais, Diana, vous ne pourriez pas vous tromper une minute! Si moralement je ressemblais aussi à Horace, je serais Horace.

DIANA, rêveuse.

C'est vrai.

FRÉDÉRIC la regarde un instant, puis crie.

C'est Horace que vous aimez, Diana! Adieu.

DIANA le retient.

Etes-vous fou? Je le déteste! Embrassez-moi.

FRÉDÉRIC, éperdu.

Diana!

DIANA

Embrassez-moi, cher petit chien perdu, que je vous montre votre route.

FRÉDÉRIC

Je vous aime.

DIANA

Moi aussi, je vous aime, Frédéric!

Il l'embrasse.

DIANA, quand c'est fini.

Vous êtes bien sûr, n'est-ce pas, que vous n'êtes pas Horace? Je le crois capable de tout!

Ils sont sortis. Entrent Lady India et Patrice Bombelles.

PATRICE BOMBELLES

De tout, de tout, de tout. Je le crois capable de tout.

LADY INDIA

Mais mon cher, comment pourrait-il soupçonner quelque chose? Nous avons pris tellement de précautions.

PATRICE BOMBELLES

C'est un garçon qui joue un double jeu. Hier il a ricané. Cela je l'ai entendu nettement, il a ricané sur mon passage. Pourquoi aurait-il senti le besoin de ricaner sur mon passage si ce n'est qu'il est au courant de tout?

LADY INDIA

Quand croyez-vous avoir entendu ce ricanement?

PATRICE BOMBELLES

Hier soir, sur la terrasse, après le dîner.

LADY INDIA

Hier soir, nous étions ensemble. Il s'était étranglé avec la fumée de son cigare. Il ne ricanait pas, il toussait.

PATRICE BOMBELLES

Il toussait pour nous dissimuler qu'il ricanait, ma chère. C'est une toux dont je n'ai pas été dupe un seul instant.

LADY INDIA

D'ailleurs pourquoi ce jeune homme qui ne m'est rien, pourrait-il se permettre de ricaner en apprenant notre liaison, Patrice?

PATRICE BOMBELLES

C'est un garçon dont je vous conseille de vous méfier. D'abord cette façon de tellement ressembler à son frère.

LADY INDIA

Il n'y peut rien.

PATRICE BOMBELLES

Un véritable gentleman n'aurait jamais permis l'équivoque. Lui, il en joue, il copie les costumes de son frère.

LADY INDIA

Mais non, c'est Frédéric qui copie les siens.

PATRICE BOMBELLES

C'est la même chose! Chez moi, ma chère, nous étions neuf frères...

LADY INDIA

Dieu! Et ils vous ressemblaient tous?

PATRICE BOMBELLES

Aucunement.

LADY INDIA

Ce que vous ne me ferez jamais croire, c'est que ce garçon soit capable de parler à Romuald.

PATRICE BOMBELLES

De parler, non. Mais de risquer des à peu près, des bouts rimés, des anecdotes, quand nous sommes au salon; de sourire, on ne sait pourquoi, à table — de ricaner, comme hier soir, en faisant semblant de s'étrangler avec la fumée de son cigare sur les terrasses. Oui, je l'en crois parfaitement capable.

LADY INDIA

S'il s'en tient à ces signes, Romuald, lui, est bien incapable d'en pénétrer jamais le sens! C'est un benêt.

PATRICE BOMBELLES a un geste.

C'est un tigre! Et vous ne devez pas oublier que si vous êtes sa maîtresse, moi, je suis son secrétaire intime. Nous dépendons tous les deux étroitement de ce magnat.

LADY INDIA, avec reproche.

Cher, bien cher... Vous employez des mots.

PATRICE BOMBELLES

Magnat?

LADY INDIA

Non.

PATRICE BOMBELLES

Secrétaire intime?

LADY INDIA

Non.

Elle est contre lui.

Patrice, cher, je suis *votre* maîtresse; et si je permets, c'est vrai, à Romuald de s'occuper de régler mes factures et de venir me baiser la main chaque soir, vous ne devez pas oublier qu'il ne m'est rien et que vous m'êtes tout.

PATRICE BOMBELLES, affolé.

Dorothée!... Dans ce jardin d'hiver...

LADY INDIA

Nous sommes en été...

PATRICE BOMBELLES

Ce n'est pas pour l'hiver. C'est pour les vitres. On nous voit de partout.

LADY INDIA

Tant mieux! Je suis folle! J'adore le danger. J'adore tout ce qui est fou. Vous ai-je raconté ce soir, à Monte-Carlo, où j'ai été dans un petit bistrot louche du port, toute nue sous ma cape, avec tous mes diamants, seule au milieu de ces brutes avinées...

PATRICE BOMBELLES

A Monte-Carlo?

LADY INDIA

Oui, c'était un petit tabac où les croupiers du baccara venaient boire clandestinement des bocks entre deux parties. Je voyais les larges mains de ces hommes frémir... Ah! qu'il vienne, qu'il nous surprenne, qu'il nous massacre!... Il verra comme je le cravacherai de mon mépris... Ce sera magnifique!

PATRICE BOMBELLES

Oui.

LADY INDIA

D'ailleurs c'est un mouton. Que peut-il?

PATRICE BOMBELLES soupire.

Tout au monde, dans les sulfates... Et par contrecoup, hélas...

LADY INDIA

Cher! Cher! L'amour est toujours le plus fort.

PATRICE BOMBELLES

Oui, Dorothée.

LADY INDIA

Et puis vous ne devez pas oublier, Patrice, que vous êtes un homme du meilleur monde, que je suis Lady India et que c'est nous qui sommes bien bons, en fin de compte, de nous occuper un peu de ce ramasseur d'argent.

Ils sont sortis.

Entrent Mme Desmermortes — poussée dans son
fauteuil à roulettes par sa lectrice, Mlle Capulat — et Horace.

MADAME DESMERMORTES

Tant d'argent, Horace?

HORACE

Plus encore, ma tante.

MADAME DESMERMORTES

Qu'est-ce qu'il en fait?

HORACE

Il mange des nouilles à tous les repas, sans
beurre et sans sel, il boit de l'eau.

MADAME DESMERMORTES

C'est admirable. Et Dorothée le ruine?

HORACE

Elle essaie. C'est impossible.

MADAME DESMERMORTES, se rappelant
soudain la présence de sa lectrice.

Vous êtes une mauvaise langue, Horace. Vous
oubliez que je suis votre tante et la tante de
Dorothée. Et une femme d'un certain âge. Mademoiselle Capulat, allez donc me chercher mon
mouchoir.

Quand elle est sortie.

Tout de bon, vous croyez qu'il l'entretient?

HORACE

Carrément.

MADAME DESMERMORTES

C'est monstrueux, c'est humiliant, Horace.

HORACE

Sur ce pied-là c'est peut-être encore monstrueux, mais cela cesse d'être humiliant, ma
tante.

MADAME DESMERMORTES

Une Grandchamp! Et par moi, une Desmermortes! Si Antoine était encore de ce monde, il
en mourrait. Horace, les gens sont si méchants,
n'est-il pas scandaleux pour le monde que
j'aie invité ce nabab en même temps que Dorothée? On va dire que je tiens la chandelle...
Moi, en tout cas, je le dirais.

HORACE

N'oubliez pas que vous avez invité Romuald
Messerschmann et sa fille à la demande de Fré-
déric, ma tante. Frédéric se fiance demain à
Diana.

MADAME DESMERMORTES

C'est juste. Un autre gogo, ton frère. Aller se

toquer de cette fille au point de lui demander
sa main. Quand il était petit il avait toujours
l'air triste, si résigné, en venant me tendre son
front au jour de l'an. Je l'appelais Iphigénie.
Le vois-tu livré, un beau matin, en jaquette de
mariage, à cette demoiselle Diana Messerschmann et à ses millions?

HORACE
Non, ma tante.

MADAME DESMERMORTES
Avec toi, au moins, le sacrifice aurait eu du pi-
quant. J'aime bien quand c'est le mouton qui
risque de dévorer le grand prêtre. Avec lui, cela
ne sera même pas drôle. Il sera affreusement
mouton comme ton père.

HORACE
Si ce mariage se fait, ma tante!

MADAME DESMERMORTES soupire.
Et qui pourrait le faire rater maintenant?

HORACE
Peut-on savoir?

MADEMOISELLE CAPULAT rentre.
Voici votre mouchoir, madame!

MADAME DESMERMORTES

Merci, ma toute bonne. Poussez-moi donc vers le soleil.

Entrent Messerschmann et Romainville.

Ah! Bonjour, mon bon Romainville! Bonjour, monsieur Messerschmann! Avez-vous passé une bonne nuit?

MESSERSCHMANN

Je ne dors jamais, madame.

MADAME DESMERMORTES

Moi non plus. Il faudra que nous nous donnions rendez-vous! Nous bavarderons pendant qu'ils dormiront et nous dirons du mal d'eux tous. Cela tuera le temps. — Il est dur à tuer, l'animal. — Je suis très méchante, monsieur Messerschmann, et vous?

MESSERSCHMANN

On dit que je le suis aussi, madame.

MADAME DESMERMORTES

Quel bonheur! Nous nous dirons des méchancetés. Cela sera très amusant. Poussez, voyons, poussez, ma toute bonne! Je vous ai dit que je voulais aller au soleil! Monsieur Messerschmann, mon maître d'hôtel m'a dit que vous ne mangiez que des nouilles?

MESSERSCHMANN

C'est exact, madame, sans beurre et sans sel.

MADAME DESMERMORTES

Il paraît aussi que vous êtes un bon ami de Dorothée.

MESSERSCHMANN

Lady India m'honore de son amitié.

MADAME DESMERMORTES

Dorothée, des insomnies et des nouilles à tous les repas! Et j'ai lu hier dans un magazine que vous étiez un des heureux de la terre...

> Ils sont sortis. Romainville essaie de sortir de biais, en évitant Horace.

HORACE le rattrape.

Elle sera là au train de midi trente.

ROMAINVILLE

Non.

HORACE

Je vous affirme que si.

ROMAINVILLE

Quelle imprudence! Je suis malade. Vous êtes sûr que vous n'êtes pas fou?

HORACE

Sûr. Et vous?

ROMAINVILLE

Moi, je ne suis pas sûr. Et si je refusais de céder à ce chantage?

HORACE

C'est le scandale, Romainville.

ROMAINVILLE se met en colère.

Mais quel scandale, sacrebleu? Mes relations avec cette jeune fille sont irréprochables.

HORACE

Si je dis à ma tante : Romainville, pour égayer un peu votre invitation de ce printemps, a fait venir sa petite amie à l'auberge de Saint-Flour où il va la voir trois fois par semaine, en cachette, que répondrez-vous?

ROMAINVILLE

Que c'est faux! Que je m'intéresse à cette jeune fille comme je m'intéresse à tous les arts. Est-ce ma faute si je suis une sorte de mécène?

HORACE

Non.

ROMAINVILLE

Cette enfant avait besoin de prendre l'air,
avant de recommencer son travail à l'Opéra.
Elle était pâlotte — comprenez-moi, Horace —,
elle était extrêmement pâlotte. N'importe qui
aurait agi comme moi. C'est une question de bon
cœur. Je lui ai dit : « Venez passer quelques
jours en Auvergne avec votre mère. » Qui pourrait me reprocher, sacrebleu, de vouloir faire
prendre un peu l'air à une jeune fille pauvre
qui en a besoin? Madame votre tante qui me
tape tous les ans pour ses comités charitables?

HORACE

A une jeune fille pauvre qui a besoin de
prendre l'air, personne. Mais à votre maîtresse,
Romainville... Vous connaissez ma tante.

ROMAINVILLE

Mais cette jeune fille n'est pas ma maîtresse,
sacrebleu! Je vous assure qu'elle ne l'est pas du
tout.

HORACE

Qui vous croira?

ROMAINVILLE

Tout le monde, puisque c'est la vérité.

HORACE

Quelle importance cela peut-il avoir que ce soit la vérité, mon bon Romainville, puisque cela n'en a pas l'air.

ROMAINVILLE

Alors, selon vous, la vérité, ce n'est rien?

HORACE

Rien, mon cher, sans les apparences.

Une cloche. Il l'entraîne.

Allons tranquillement déjeuner. Elles seront là d'un moment à l'autre. Josué est prévenu, il me fera signe. Je viendrai leur dire deux mots et au café il annoncera officiellement à ma tante que votre nièce vient d'arriver.

ROMAINVILLE

Et si ma véritable nièce arrive par le même train?

HORACE

Je lui ai déjà télégraphié pour vous que l'invitation de ma tante était momentanément décommandée.

ROMAINVILLE

C'est un traquenard! Et tout cela parce que

vous m'avez surpris buvant une innocente oran-
geade avec cette petite, chez le pâtissier de
Saint-Flour!

HORACE
Exactement!

ROMAINVILLE
Vous êtes le diable.

HORACE
A peu près.

ROMAINVILLE
Quel dessein poursuivez-vous donc?

HORACE
Un vaste et sombre dessein.

Une seconde cloche.

C'est le deuxième coup. Passons à table, mon
cher Romainville. Vous ne tarderez pas à le
savoir.

*Ils sortent. La scène reste vide un instant, puis
Josué introduit Isabelle et sa mère, avec leurs
valises.*

JOSUÉ
Si ces dames veulent se donner la peine de
s'asseoir. Je vais prévenir M. Horace de leur
venue.

Il sort.

LA MÈRE

Quel luxe! Quel raffinement! Quelle somp-
tuosité! Voilà une atmosphère, mon enfant, dans
laquelle je me sens véritablement redevenir
moi-même!

ISABELLE

Oui, maman.

LA MÈRE

Il y a des êtres qui ne peuvent respirer que
dans le luxe. Si on leur enlève le luxe, ils
s'étiolent.

ISABELLE

Oui, maman.

LA MÈRE

Tu ne dois pas oublier, Isabelle, que ton
grand-père était le premier négociant en
papiers peints de la ville. Nous avons eu jusqu'à
deux domestiques en même temps, sans compter
les ouvrières, bien entendu. Et rappelle-toi qu'à
ton âge, ta grand-mère ne m'aurait jamais permis de sortir seule.

ISABELLE

Oui, maman.

LA MÈRE

J'étais suivie à trois pas par ma bonne. A trois
pas. C'était magnifique.

ISABELLE

Oui, maman.

LA MÈRE

As-tu vu ce maître d'hôtel?

ISABELLE

Oui, maman.

LA MÈRE

Cette noblesse, cette voix feutrée, à la fois extrêmement polie et légèrement méprisante, cette attitude.

Elle répète, ravie, et mime.

« Si ces dames veulent se donner la peine de s'asseoir. Je vais prévenir M. Horace de leur venue. » De leur venue! Le choix des termes!

Elle se rassoit.

Ah! mon enfant! Je rêve pour toi d'un maître d'hôtel semblable!

ISABELLE

Oh! tu sais, maman...

LA MÈRE

Si, si. Je rêve pour toi de tout ce que la vie ne m'a pas donné. Je ne dis rien tu sais, mais parfois je souffre... Tu crois que cela ne me fend pas le cœur quand je vois tes petits doigts se rougir chaque jour à notre vaisselle?

ISABELLE *cache ses doigts, soudain honteuse.*

Je t'en prie, maman.

LA MÈRE

Oh! je sais. Tu es moins sensible que moi. Je sais aussi que je ne t'aide pas autant que je le devrais, bien sûr, dans tous ces petits travaux... C'est que c'est véritablement au-dessus de mes forces. D'abord, j'ai une impossibilité matérielle : mon piano. Je dois mes mains à mon art. Et puis je n'ai pas été élevée comme toi, moi. J'ai été élevée dans les raffinements du confort. Tu as toujours connu la gêne, mon pauvre petit, tu ne peux pas savoir! Toi, tu retrousses tes manches, tu chantes quelque chose, et hop! En un clin d'œil c'est fait, tu n'y penses plus.

ISABELLE

Il faut bien, maman.

LA MÈRE

Je t'admire. Moi avec mon passé, avec tous mes rêves perdus, j'en serais absolument incapable... Ah! Isabelle! Je rêve pour toi d'un autre avenir — d'un avenir de luxe et de

beauté où ta maman aurait une petite place.
Tu es artiste, tu es jolie, moins fine que moi
peut-être — cela c'est ton père —, moins classique, en somme, mais piquante. Tu dois plaire,
tu dois sûrement plaire, mon enfant. Que peut
bien vouloir ce jeune homme?

HORACE entre.

Vous êtes exactes, je vous remercie.

LA MÈRE

Cher monsieur, je considère l'exactitude
comme la première vertu. Ai-je tort?

HORACE lui baise la main.

Non, madame. Et voici Mlle Isabelle.

Il la regarde.

Je ne m'étais pas trompé.

LA MÈRE

C'est une charmante enfant.

HORACE

Mieux que charmante, madame.

LA MÈRE

M. Romainville a dû vous parler d'elle.

HORACE, sans cesser de regarder Isabelle.

Il m'en a beaucoup parlé, en effet, madame.

LA MÈRE

C'est un de nos bons amis parisiens.

HORACE

Oui, je sais. Est-ce que cette aventure vous amuse au moins, mademoiselle? C'est la première condition.

LA MÈRE

Elle est folle de joie!

ISABELLE

M. Romainville nous a seulement dit que vous nous invitiez pour ce soir au château.

HORACE

Pas autre chose?

ISABELLE

Non, monsieur.

LA MÈRE

Le bon ami a sans doute voulu laisser toute la surprise à la petite!

HORACE

Et qu'avez-vous pensé qu'on pourrait bien vous demander dans ce château?

ISABELLE

Je ne sais pas, De danser sans doute. Je suis danseuse.

HORACE

Pas seulement de danser.

LA MÈRE

Pas seulement de danser? Mais savez-vous, cher monsieur, que vous commencez à m'intriguer follement?

HORACE

On donne ici ce soir un bal. J'ai besoin que vous y assistiez et que vous y soyez très belle, plus belle que toutes les autres.

ISABELLE

Moi?

HORACE

Oui. Vous avez peur?

ISABELLE

Un peu. Je ne suis pas très belle et puis...

HORACE

J'ai téléphoné ce matin à Paris. Roeseda Sœurs m'envoie ce soir un choix de robes et ses meilleures essayeuses. Au premier coup d'archet des violons, vous serez prête.

ISABELLE

Mais que faudra-t-il que je fasse?

HORACE

Rien que briller ici toute la nuit comme un petit papillon éphémère. A l'aube on vous délivrera. Bien entendu, madame, cela sera un cachet comme un autre, et la robe lui restera.

LA MÈRE minaude.

Oh! mais nous n'avons pas pensé une minute...

HORACE la coupe.

Moi, si, je l'ai pensé. Maintenant, il faut que je retourne à table où mon absence serait remarquée. Je regrette de ne pas pouvoir assouvir votre curiosité tout de suite. Voilà Josué qui va vous montrer vos chambres. On vous y servira ce premier repas... Je vous demande de n'en pas bouger. Personne ne doit encore connaître votre présence au château. Dès que cela me sera possible je monterai vous dire ce que j'attends de vous.

Il sort. Josué empoigne les valises.

JOSUÉ

Si ces dames veulent bien avoir l'obligeance de me suivre.

LA MÈRE

Oui, mon ami. Quel garçon distingué, quel véritable gentilhomme! As-tu vu, ma chère, comme il m'a baisé la main? Hé bien, ma petite, tu rêves?

ISABELLE

Non, maman. C'est celui-là qui s'appelle Horace? C'est celui-là qui a voulu que nous venions au château?

LA MÈRE

Oui, ma chère. Il est beau, n'est-ce pas? Allons, avance. Le maître d'hôtel nous attend. Où es-tu, ma chère, dans la lune?

ISABELLE, *sortant derrière elle, d'une étrange voix.*

Oui, maman.

LE RIDEAU TOMBE

DEUXIÈME ACTE

On entend les violons s'accorder quand le rideau
se lève. Même décor, c'est le soir. Debout au
milieu de la pièce, Isabelle dans sa robe de
bal. Dans un fauteuil, en habit, fumant son
cigare, Horace l'examine.

HORACE

Avancez de quelques pas. Tournez. Retour-
nez-vous. Vous êtes parfaite. Vous tremblez?

ISABELLE

J'ai peur.

HORACE

De quoi, mon Dieu, d'un bal?

ISABELLE

De la nuit qui vient, des violons qui s'ac-
cordent, de ce château plein de gens inconnus

qui s'habillent pour cette fête, de ce mystère, de tout.

HORACE

De moi aussi?

ISABELLE

Surtout de vous.

HORACE

Vous croyez que je vais vous entraîner dans une histoire épouvantable? Romainville vous a dit beaucoup de mal de moi?

ISABELLE

Oui, monsieur.

HORACE

Et naturellement vous l'avez cru?

ISABELLE, doucement.

Non.

HORACE

Vous avez eu tort, mademoiselle. Quand vous saurez ce que j'ai machiné ce soir, vous penserez que je suis peut-être plus méchant que ne l'imagine Romainville. Seulement il ne faut pas avoir peur des gens méchants, mademoiselle, ce sont de pauvres diables comme les autres. Les imbéciles seuls sont vraiment redoutables!

Entre Romainville.

Ah! mon cher, nous parlions justement de vous! Comment vous sentez-vous ce soir?

ROMAINVILLE

De plus en plus mal. Cette fête qui me réjouissait est maintenant un supplice pour moi. Je ne peux pas concevoir ce qui a pu vous pousser à vouloir cette présentation ridicule.

HORACE

Romainville a peur que vous vous trompiez de fourchette et qu'en vous voyant attaquer le foie gras avec le couvert à poisson, toute la table se lève en criant : « Imposture! Ce n'est pas sa vraie nièce! » Faites quelques pas, ma chère, tournez. Regardez-la, Romainville. N'êtes-vous pas flatté d'avoir une nièce pareille? Entre nous, comment est votre vraie nièce, mon cher? Il me semble l'avoir rencontrée chez les Berquin.

ROMAINVILLE

Mon Dieu, c'est une jeune personne un peu disgraciée. Elle a le nez assez fort. Mais elle est pleine des plus belles qualités morales...

HORACE

Alors vous la présenterez à ma tante, un matin, à son ouvroir et elle y fera merveille.

Mais pour un bal, Romainville... Il vous fallait une nièce de bal!... Regardez cette jeune fille dans ce tulle. Vous ne pouviez rien trouver de plus transparent, de plus éphémère, de plus gracieux, de plus fait pour un bal, un unique bal de printemps...

ROMAINVILLE considère gravement Isabelle.

Tenez-vous droite. Ne donnez pas leur titre aux gens à qui on vous présentera. Attendez que les personnes d'un certain âge vous interrogent.

HORACE

Vous divaguez, mon cher. Mademoiselle savait tout cela en naissant. Ma tante, qui a le sens de la qualité, ne s'y est pas trompée une minute. Elle lui a donné une chambre sur le jardin. Ce sont les plus agréables. Si elle lui avait moins plu, je suis sûr qu'elle l'aurait mise sur le parc.

ROMAINVILLE

Mais moi je suis sur le parc!...

HORACE éclate de rire.

Vous voyez bien, Romainville...

LA MÈRE entre, minaudante.

On peut entrer? On peut entrer? Je ne peux plus tenir, il faut que je voie la robe.

HORACE va à elle, contrarié.

Il était convenu que vous resteriez dans votre chambre, madame. Il ne faut pas risquer qu'on vous rencontre.

LA MÈRE

Je me suis glissée comme une ombre. Je me meurs de curiosité. Quel charme! Quelle élégance! Tiens-toi droite. Quel bon goût! Je suis sûre que c'est monsieur Horace qui l'a choisie!

HORACE

Non, madame, c'est votre fille.

LA MÈRE

Non. Non. Non. Je ne veux pas croire que vous n'y êtes pour rien. Ou alors c'est que la petite a deviné vos goûts et qu'elle l'a choisie pour vous plaire.

ISABELLE

Maman!

LA MÈRE

Tourne-toi. Encore. Tiens-toi droite. Cette enfant, cher monsieur, me surprend chaque fois moi-même. Habillée, on dirait qu'elle est maigre : déshabillée, elle est presque dodue. Raspoutini, son maître à l'Opéra, dit que, tout simplement, c'est parce qu'elle est bien faite.

Le fait est — ce n'est pas parce que je suis sa mère —, elle a des jambes admirables. Le cher ami qui l'a vue tant de fois en tutu vous le dira.

ROMAINVILLE, gêné.

Hum! Moi, je la trouve encore très pâlotte. Mais nous lui donnons des fortifiants. Des fortifiants.

LA MÈRE

Pâlotte? Regardez-la, médisant. Elle est rose comme une fleur!

ROMAINVILLE

Hum! Le grand air de la campagne lui a déjà fait du bien. Ah! la campagne, la campagne! La joie saine...

LA MÈRE

Parlons-en! Elle meurt d'ennui, à la campagne! Elle est comme moi. Nous sommes deux petites fleurs de serre, deux Parisiennes, deux artistes. Nous ne poussons pas en pleins champs. Seulement le cher ami a tant insisté.

ROMAINVILLE

La santé avant tout. La santé avant tout.

LA MÈRE

Vous êtes un vilain despote! Cher monsieur,

il est d'une exigence avec ses amis! Il ne peut pas supporter qu'on le quitte. Quand il a été invité ici, il a fallu que la petite vienne.

ROMAINVILLE

Je la trouvais pâlotte! Alors, je me suis dit, ma foi...

LA MÈRE

Mais oui, mais oui. Enfin! On vous pardonne parce qu'on sait que c'est par amitié. C'est comme lorsque vous avez voulu qu'elle fasse de la natation...

ROMAINVILLE, de plus en plus gêné.

Tout le monde devrait savoir nager.

LA MÈRE

Il venait lui-même à la piscine pour la voir. Une fois, il a failli tomber à l'eau tout habillé.

ROMAINVILLE, hors de lui.

C'est ce qui prouve que tout le monde devrait savoir nager! Mais nous bavardons, nous bavardons... et Horace doit avoir des instructions à donner à Isabelle. Je suis sûr que vous seriez curieuse de voir l'arrivée des voitures, chère amie? Si vous veniez dans ma chambre? On voit tout. Elle est au nord, mais on voit tout.

LA MÈRE

C'est cela. C'est cela. Nous les laissons. Chut!
Ce n'est pas que je brûle aussi de connaître le
mystère. Mais la petite me racontera demain.
Allez. Je vais me cacher comme un vilain gros
papillon de nuit qui n'a pas droit aux lumières
de la fête.

ROMAINVILLE, la poussant, excédé.

C'est cela. Comme un vilain gros papillon de
nuit. Venez. J'entends les premières voitures.

HORACE

Et on vous montera à souper.

LA MÈRE

Une croûte, allez, une croûte et un verre
d'eau pour la pauvre Cendrillon. Amuse-toi
bien, petite chanceuse! Moi aussi, j'ai eu vingt
ans. Et il n'y a pas si longtemps de cela... Elle
est charmante!

Elle est sortie, entraînée par Romainville.

HORACE regarde Isabelle et dit doucement.
Et toute rouge.

ISABELLE

J'ai honte.

HORACE

Il ne faut pas.

ISABELLE

C'est facile à dire. Mes joues brûlent. Mes yeux piquent. J'ai une grosse boule de mie de pain dans la gorge et envie d'être morte.

HORACE

Moi, je la trouve très amusante, votre mère.

ISABELLE

Moi aussi peut-être qu'elle m'amuserait...
Elle s'arrête.

HORACE

C'est une artiste?

ISABELLE

Elle donne des leçons de piano.

HORACE

Si vous aviez déjà écouté ce qu'on appelle une dame « bien » essayer de faire valoir sa fille dans une vente de charité, vous ne vous indigneriez plus. Madame votre mère est la discrétion même.

ISABELLE

Je ne suis pas dodue. Je ne suis pas maigre

non plus. Je n'ai pas des jambes admirables. Je
veux partir.

HORACE

Avant mon bal, c'est impossible!

ISABELLE

J'ai honte.

HORACE

Entre nous, ma chère, pourquoi? Parce que
cette fête, ce mystère ont excité un peu l'imagination de votre maman? Parce qu'elle s'est
figuré que j'étais amoureux de vous et qu'elle
essaie de vous jeter à ma tête? C'est bien
naturel... Je suis très riche, j'ai un beau nom,
vous pensez que depuis que je suis bon à marier,
c'est un air que j'ai entendu. Ainsi, si c'est pour
moi que vous avez honte, ne soyez plus rouge.
je vous en prie. C'est un air qu'on m'a trop
chanté. Je ne l'entends plus.

ISABELLE, doucement.

Moi je l'entends encore...

HORACE

C'est vrai. Je parle un peu légèrement de ces
choses. Cela doit être assez désagréable en effet
pour vous. Excusez-moi.

ISABELLE se retourne soudain.

Qu'avez-vous pensé pour Romainville?

HORACE, un peu sec.

Je n'ai rien à penser au sujet de Romainville, mademoiselle. Romainville est un homme charmant, plein de délicatesse et d'égards, j'en suis sûr. Je vous ai rencontrée avec lui dans une pâtisserie de Saint-Flour, je vous ai trouvée ravissante, et j'ai imaginé que vous pourriez m'être utile, ici, ce soir. C'est tout.

ISABELLE

Je voudrais que vous sachiez au moins...

HORACE

Je ne veux rien savoir de plus, mademoiselle.

ISABELLE dit doucement d'une petite voix battue.

Alors, si vous ne voulez rien savoir, c'est différent... Croyez-vous que je suis idiote? J'ai pleuré, mon rimmel coule. Il faut que je recommence tout. Vous m'excusez un instant?

HORACE

Je vous en prie.

Il fait signe à Josué qui passe.

Josué!

JOSUÉ

Monsieur Horace?

HORACE

Personne ne se doute de rien?

JOSUÉ

Personne, monsieur Horace. Les essayeuses de la maison de couture sont reparties sans avoir été vues, le bottier non plus. D'ailleurs avec le monde que nous avions au château pour les derniers préparatifs du bal...

HORACE

Vous surveillerez la maman.

JOSUÉ

Oui, monsieur Horace. Je demande pardon à monsieur, mais elle m'a échappé tout à l'heure. J'ai aussi la responsabilité de la fête de ce soir...

HORACE

Je sais, Josué, que vous ferez votre possible. D'ailleurs tant qu'elle se contentera de faire la navette entre sa chambre et ce salon — cette aile est encore déserte —, c'est sans danger. Mais quand le bal sera commencé, je crains des excentricités de sa part.

Il fait le geste de fermer une porte à clef.

Cric, crac.

JOSUÉ

Bien, monsieur Horace. Et si la dame se mettait à hurler? Il faut tout prévoir, monsieur Horace.

HORACE

Vous lui direz que c'est moi qui ai exigé qu'on l'enferme et vous lui promettrez deux cents francs de plus.

JOSUÉ

Je demande pardon à monsieur... Monsieur croit que ce sera assez pour calmer cette dame?

HORACE

Certainement, mon vieux.

A Isabelle qui rentre pendant que Josué sort.

Eh bien, ce petit malheur?

ISABELLE

Il est réparé.

HORACE

Comme c'est commode de pouvoir sortir une minute, refaire son sourire, son œil, et venir reprendre la conversation au point où on l'avait

laissée!... Nous manquons beaucoup de ces petits
bâtons, nous autres.

Il regarde l'heure.

Il est bientôt dix heures, mademoiselle. Votre
maquillage est au point, votre robe vous va à
ravir, les premières voitures glissent déjà sur le
sable devant le perron, les violons frottent leur
archet de colophane. Il va être temps que je vous
parle.

ISABELLE

Enfin!

HORACE

J'ai voulu vous connaître un peu mieux avant
de le faire. A une sotte, j'aurais raconté une
autre histoire, quelque merveille de magazine
avec du pittoresque, de l'attendrissement, de la
romance. C'est d'ailleurs dans ce sens que
j'avais préparé mon petit laïus quand je vous
avais demandé de venir, hier soir. On va toujours au conventionnel c'est plus facile. Or, il
se trouve, une fois sur mille, que le conventionnel se dérobe et on reste tout bête avec son
intelligence à son bras comme un parapluie
dont on ne pensait pas avoir besoin. Tant pis
pour moi. Je vais être obligé d'improviser.

ISABELLE

Je vous demande pardon.

HORACE

Pas du tout. C'est moi qui ai manqué de psychologie. J'aurai dû vous juger au premier coup d'œil. Vous n'êtes pas sotte, vous êtes naïve. Vous n'êtes pas romanesque, vous êtes tendre. Vous n'êtes pas dure, vous êtes exigeante. Tout est presque pareil et c'est le contraire. Cela m'apprendra à mal regarder les jeunes filles à la terrasse des pâtisseries. J'avais tout prévu, sauf que vous m'écouteriez avec ce petit œil lucide.

ISABELLE

S'il vous dérange, je peux le fermer.

HORACE

N'en faites rien. Il va nous faire gagner beaucoup de temps. Grâce à lui je vais pouvoir passer les préambules et aller droit au fait. Voilà, mademoiselle : j'ai un frère, un frère que j'aime beaucoup et qui est amoureux à en mourir d'une jeune fille très belle et très riche en l'honneur de laquelle le bal de ce soir est donné.

ISABELLE

Et elle, elle ne l'aime pas?

HORACE

Elle lui est officiellement fiancée; elle lui

donne ses lèvres deux ou trois fois par jour suivant les règles d'une stratégie amoureuse qui m'échappe. Je suppose qu'elle lui abandonne aussi de temps en temps, en pensant à autre chose, un coin ou un autre de sa jolie peau un peu froide. Elle lui fait toutes les petites scènes qu'il faut faire, elle lui dit même qu'elle l'aime, mais elle ne l'aime pas, non.

ISABELLE

Elle en aime un autre?

HORACE

En vérité, mademoiselle, je la crois bien incapable de jamais aimer. Mais comme c'est une petite personne multimillionnaire et trop gâtée, attentive au moindre souffle de ses désirs, elle s'est figurée — oui — qu'elle était amoureuse de quelqu'un.

ISABELLE

Et ce quelqu'un?

HORACE

Vous l'avez deviné, c'est moi. Vous me direz que c'est une folle et que mon frère vaut mille fois mieux que moi.

ISABELLE

Comment est-il?

HORACE

Diable! C'est vrai! Vous voyez comme ces récits arrêtés d'avance sont toujours bêtes. J'allais oublier de vous dire l'essentiel : nous sommes jumeaux, mademoiselle.

ISABELLE

Vous vous ressemblez?

HORACE

Au physique, comme il n'est pas permis honnêtement de se ressembler. Cette plaisanterie de mauvais goût qui dure depuis trop longtemps a donné lieu à tous les quiproquos possibles et imaginables. Elle est éventée, vidée, assommante. Voilà cent ans que le coup des jumeaux ne fait plus rire personne et singulièrement plus nos amis... Mais, moralement — vous voyez que nous sommes en plein dans la plus mauvaise convention théâtrale —, moralement, nous sommes le jour et la nuit : mon frère est bon, sensible, tendre, intelligent et je suis une brute. Mais c'est tout de même moi qui suis aimé.

ISABELLE

Et vous?

HORACE

Moi?

ISABELLE

Vous l'aimez aussi, cette jeune fille?

HORACE

Je n'aime personne, mademoiselle. C'est ce qui va me permettre d'organiser en toute sérénité d'esprit la petite comédie de ce soir. Car j'ai résolu que ce serait moi, ce soir, qui organiserais la comédie. Oui, décidément, nous nous laissons trop faire, ma chère. Le destin dispose, nous brasse, nous fait glisser sur une pelure d'orange, ou sans plus de raisons nous gratifie d'un billet gagnant à la loterie, d'un ami sincère ou d'une femme aimable — entre deux crampes... Et nous sommes là à recevoir ces pourboires avec des courbettes, en bafouillant éternellement : « trop heureux, merci, trop heureux, que votre volonté soit faite! » Nous sommes trop négligents... Je comprends cela en politique. Il faut se laisser gouverner comme on se laisse couper les cheveux — par d'autres, tant bien que mal. Attacher trop d'importance à l'argent qu'on vous prend ou aux gestes qu'on fait exiger de vous, dans les rues, par des gendarmes, c'est l'attitude la plus futile, la plus inconsidérée qui soit. Mais permettre au destin de vous conduire, lui tolérer des maladies, des passions ridicules, des catastrophes, des familiarités. Cela, c'est grave, mademoiselle, c'est impardonnable. Je ne sais pas si vous me suivez très bien?

ISABELLE

Je me suis perdue au moment des gendarmes, monsieur.

HORACE

Je m'explique. Je trouve l'homme trop modeste. Il se laisse mener alors que c'est presque toujours à lui de décider et qu'il est pratiquement indomptable. L'amour, la maladie, la bêtise, il a trouvé commode d'appeler tout : fatalité. Moi, je ne connais que la mort, ma chère. La mort est franche, la mort est nette. C'est une imbécile, mais je lui tire mon chapeau. Elle sait ce qu'elle veut... Mais pour le reste je réponds : « Je ne veux pas le savoir! » comme mon adjudant pendant la guerre...

Il rêve un peu.

Je ne veux pas le savoir! Ça, c'était un homme! Vous ne me suivez plus du tout?

ISABELLE

C'est-à-dire je vous perds, je vous rattrape, je vous reperds. J'espère que vous m'attendrez au tournant.

HORACE lui prend le bras.

Nous y sommes, ne nous quittons plus. Mon frère est malheureux, mademoiselle, et il va être bafoué. Mais il aime probablement cette Diana Messerschmann, et son bonheur — peut-on savoir ce que c'est que le bonheur? — c'est peut-être d'être malheureux par elle. D'autre part, il est sans doute dans l'ordre normal des choses que cette jeune fille, à qui le Ciel a dispensé tous les dons, outre les millions de son père, triomphe tranquillement au bal de ce soir... Seulement voilà, je ne vois pas ce que j'ai, j'ai dû mal me réveiller ce matin — je ne me sens pas d'humeur à supporter l'ordre normal des choses aujourd'hui... Alors tant pis pour la fatalité! Moi aussi je suis aveugle, moi aussi j'ai des caprices, moi aussi je suis tout-puissant. Je réponds : « Je ne veux pas le savoir », comme mon adjudant. Je prends tout sur moi et je brouille les cartes... Et ce qui va se passer ce soir, je puis vous assurer que ce n'était pas du tout écrit. Voilà ce que j'attends de vous.

ISABELLE

Oui, mon capitaine!

HORACE

D'abord, m'obéir en tout, me regarder toujours au cours de cette fête. Je ne vais pouvoir vous donner maintenant que les grandes lignes. Le détail devra s'improviser tout à l'heure, pendant le bal. N'ayez pas peur. Vous ne serez jamais seule. J'apparaîtrai sous une tenture comme dans les mélos, je serai derrière l'ottomane où vous vous assiérez avec votre cavalier, sous la nappe du buffet, dans l'ombre du jardin. Je serai partout, vous surveillant toujours, vous dictant vos consignes. Le problème est simple. Il faut d'abord faire en sorte ce soir que tout le bal ne s'occupe que de vous.

ISABELLE, éperdue.

Vous vous faites beaucoup d'illusions sur moi, monsieur! Je ne saurai jamais...

HORACE

Moi, je saurai. Ne vous occupez de rien, soyez vous-même. Répondez ce qui vous passe par la tête. Riez si vous avez envie de rire. Si vous avez envie d'être seule, laissez tout le monde soudain. Je me charge d'expliquer tout, de rendre tout aimable, extravagant, surnaturel... Je vais pendant toute la soirée faire semblant d'être amoureux de vous.

ISABELLE, heureuse.

C'est vrai?

HORACE

Et vous allez, pendant toute la soirée, faire semblant d'être amoureuse de mon frère.

ISABELLE

Mais si votre frère aime cette jeune fille, il ne me regardera même pas!

HORACE

Peut-être bien, il est si bête! Mais, même s'il ne regarde que Diana, il ne pourra pas ne pas lire dans les yeux de Diana, au coin de la bouche de Diana, dans tout ce qu'il aime de Diana que vous êtes ravissante. Je la connais, elle est affreusement jalouse. En constatant votre triomphe elle va se mettre à verdir, devenir laide en un instant.

ISABELLE

Votre frère ne l'en aimera que plus!

HORACE

Vous croyez? Comme on se fait de jolies idées de l'amour à l'Opéra! Soyez tranquille, j'ai bâti tout un scénario. C'est vous que mon frère aimera. Il ne s'agit que de le tirer d'un songe. Il va, il suit cette jeune fille qui est le contraire de ce qu'il peut aimer, il croit qu'il l'aime; il dort et il souffre en dormant. Nous allons le faire dégringoler de la gouttière.

ISABELLE

Et s'il en meurt?

HORACE

Mademoiselle, on ne meurt pas d'amour.

ROMAINVILLE entre en trombe.

Ah! vous êtes là? Je vous cherchais. Catastrophe!

HORACE

Comment catastrophe?

ROMAINVILLE s'assoit, ravi.

Mon cher, tous vos projets sont à l'eau. Dieu merci!

HORACE

Qu'est-ce que vous racontez?

ROMAINVILLE

Comme je ramenais votre mère au bercail, me fiant à l'obscurité des corridors — crac! à un tournant, nous tombons sur la Capulat. C'est la lectrice de sa tante.

HORACE

Eh bien, vous êtes passés?

ROMAINVILLE

Moi, je suis passé. Mais savez-vous ce qu'elles ont fait ces deux folles? Elles se sont jetées dans les bras l'une de l'autre en pleurant. Il paraît qu'elles ont fait du piano ensemble au Conservatoire de Maubeuge. Il y a vingt ans qu'elles se croyaient mortes : pas du tout, elles vivent! Je n'ai pas pu intervenir. Elles se serraient convulsivement les bras, elle se racontaient leur vie. Dieu merci, elles parlaient toutes les deux en même temps : elles ne vont pas se comprendre tout de suite. Quoi qu'il en soit, il ne nous reste plus qu'une issue : la fuite!

A Isabelle.

Montez vous déshabiller. Je dirai que vous avez eu un malaise, que vous avez reçu un télégramme, que votre grand-mère était dans le coma et que je n'ai pas voulu troubler la fête, enfin je dirai quelque chose. Moi aussi, j'ai de l'imagination! Nous n'avons pas une minute à perdre. Montez vous déshabiller!

HORACE

Ne montez pas, je vous le défends!

LA MÈRE frappe et entre, mutine.

Coucou! Vous savez la bonne surprise!

HORACE va à elle.

Oui. Qu'avez-vous fait? Qu'avez-vous dit?

LA MÈRE

Ah! mon enfant, comme l'amitié est une douce chose! T'ai-je assez parlé de Géraldine Capulat? Je la croyais morte : elle vit, la chère âme! Ce que je lui ai dit, cher ami, mais tout, tout. Mon mariage malheureux, ma carrière artistique brisée, enfin tous mes espoirs déçus. Ah! mes amis! Vous ne pouvez pas savoir ce que Géraldine a été pour moi! Toutes deux blondes, toutes deux follement romanesques : on nous prenait pour les deux sœurs.

HORACE

Mais comment lui avez-vous expliqué votre présence au château?

LA MÈRE

Mais le plus simplement du monde! Me croyez-vous donc capable d'être prise de court, cher monsieur? Je lui ai dit que je faisais partie de l'orchestre.

HORACE et ROMAINVILLE
Ouf!

LA MÈRE
Seulement elle ne m'a pas crue. Je jouais de malheur. Il paraît que ce sont des nègres. Alors vous savez ce que j'ai fait? J'ai la plus entière confiance en Géraldine. Je lui ai fait jurer sur notre ancienne amitié de garder à jamais le secret et je lui ai tout dit.

HORACE et ROMAINVILLE, épouvantés
Tout?

LA MÈRE
Tout.

ROMAINVILLE, à Isabelle.
Montez vous déshabiller tout de suite!

HORACE
Mais enfin quoi, tout? Vous ne savez rien.

LA MÈRE
Non, mais vous savez comme je suis romanesque! Une grande enfant. Je suis incorrigible. J'ai brodé tout un conte bleu!

ROMAINVILLE
Un conte bleu?

HORACE

Quel conte bleu?

LA MÈRE

Un vrai conte couleur d'azur! Je sens que
vous allez me gronder!

HORACE

Mais à la fin, qu'avez-vous pu dire?

LA MÈRE

Rien, des folies, des mots, des rêves! J'ai dit
que vous étiez amoureux de la petite et que
vous l'aviez fait passer pour la nièce de Romainville afin de l'introduire au château.

ISABELLE crie, rouge de honte.

Qui t'a permis, maman?

ROMAINVILLE

Malheureuse! Mon cher Horace, à l'heure
qu'il est, votre tante sait tout. Je ne sais pas ce
que vous allez faire, moi, je décampe. Tant pis
je ne la reverrai pas de ma vie! Montez vous
déshabiller, vous!

HORACE va pour sortir.

Il faut aller trouver Capulat. Il faut obtenir
qu'elle ne dise rien.

A la porte, il se heurte à Mme Desmermortes
poussée dans son fauteuil par Capulat. On
cache la mère comme on peut.

MADAME DESMERMORTES

Où courez-vous, mon cher Horace? Je viens
voir ma jeune invitée. Pourquoi la cachez-vous
dans ce petit coin noir? Mes compliments, mon
bon ami.

ROMAINVILLE sursaute.

Vos compliments! Quels compliments?

MADAME DESMERMORTES

Elle est charmante, Romainville!

ROMAINVILLE

Non!

MADAME DESMERMORTES

Comment non?

ROMAINVILLE

Enfin, si!

MADAME DESMERMORTES

Comment va-t-elle?

ROMAINVILLE

Très mal, justement. Un malaise.

MADAME DESMERMORTES

Que me chantez-vous? Elle est toute rose. Une danse la guérira.

ROMAINVILLE, qui ne sait plus ce qu'il dit.

Elle a peur de recevoir un télégramme!

MADAME DESMERMORTES

Quelle drôle de peur! Comme elle a une jolie robe! C'est votre cadeau, mon tout bon?

ROMAINVILLE

Certes non!

MADAME DESMERMORTES

Vous êtes contente de votre chambre, mon enfant? J'ai pensé qu'elle vous plairait. Demain matin vous aurez le soleil la première. Cela vous amuse au moins, ce bal?

ISABELLE

Oh! oui, madame.

MADAME DESMERMORTES

Qui m'a dit que c'était votre premier bal?

ROMAINVILLE

Ce n'est pas moi!

MADAME DESMERMORTES

C'est toi, Horace? Non, c'est vrai, tu ne la connais pas. On vous a présentés, au moins?

HORACE

Oui, ma tante, on nous a présentés.

MADAME DESMERMORTES

Elle est ravissante, n'est-ce pas?

HORACE

Ravissante.

MADAME DESMERMORTES

Alors, pourquoi ne l'invites-tu pas? On joue la première valse.

HORACE

Ma tante, j'allais l'inviter.

A Isabelle.

Mademoiselle, est-ce que vous voulez bien m'accorder cette valse?

Sortant en valsant avec Isabelle, il passe près de Romainville à qui il jette :

Elle bluffe. Elle ne sait rien.

ROMAINVILLE

Elle sait tout.

MADAME DESMERMORTES, qui les regardait partir.

Elle est fine, jolie, racée. Comment se fait-il, Romainville, que vous ne m'en ayez jamais parlé?

ROMAINVILLE bafouille, malheureux.

A vous dire vrai, ma chère amie, c'est un oubli que je ne m'explique pas moi-même...

MADAME DESMERMORTES, qui a fait signe à Capulat de la pousser vers le bal.

En somme, si je comprends bien, c'est une Dandinet-Dandaine par les femmes?

ROMAINVILLE

Eh oui, mais...

MADAME DESMERMORTES

Elle est donc apparentée aux Rochemarsouin?

ROMAINVILLE

Si l'on veut!

MADAME DESMERMORTES

Si elle tient aux Rochemarsouin, c'est qu'elle est aussi Cazaubon.

ROMAINVILLE

Cela va de soi.

MADAME DESMERMORTES

Le pauvre Antoine qui était Cazaubon par les Marsus et les Villeville lui serait donc un peu quelque chose, s'il vivait?

ROMAINVILLE

Oh! si peu! Et puis, il est mort!

MADAME DESMERMORTES

Mais moi je suis encore vivante, Romainville! Et j'aime y voir clair dans ces questions de parenté. Il faut absolument que je situe cette petite. Voyons, vous dites que sa mère, qui était une Fripon-Minet, est morte.

ROMAINVILLE

Morte!

MADAMES DESMERMORTES commence.

La cousine de sa mère donc, une de Laboulasse...

ROMAINVILLE la coupe.

Morte aussi.

MADAME DESMERMORTES

L'aînée? Celle que j'ai connue en pension, mais la cadette?

ROMAINVILLE

Morte, morte!

MADAME DESMERMORTES

Comment, les deux?

ROMAINVILLE

Les deux!

MADAME DESMERMORTES

Et du côté de son père? Du côté des Dupont-Pitard?

ROMAINVILLE

Tous morts!

MADAME DESMERMORTES

Pauvre petite! Mais c'est une hécatombe autour d'elle!

ROMAINVILLE, sortant, allègre.

Un charnier!

Ils sont passés. En sortant, Capulat a laissé tomber sa longue écharpe mauve. La mère sort de sa cachette avec des précautions de grosse souris. Capulat réapparaît, pousse un petit cri en voyant la mère et se précipite.

CAPULAT

J'ai dit que j'avais oublié mon écharpe!

Elles sont dans les bras l'une de l'autre.

LA MÈRE

Géraldine! C'est un beau rêve!

CAPULAT

Ah! Josyane! C'est un roman!

LA MÈRE

Il l'adore! As-tu vu comme il la regardait,
ma chère?

CAPULAT

C'est le Prince Charmant. Il est follement
riche!

LA MÈRE

Et beau comme la nuit! Il faut que tu
m'aides, ma chère, la pauvre petite en mourrait!

CAPULAT

Je ferai tout, je ferai tout pour ton enfant,
Josyane! Ah! toutes nos folies de Maubeuge, tu
te souviens? La pâtisserie Marius Labonne!

LA MÈRE

Et les glaces de chez Pinteau!

CAPULAT

Et notre premier morceau à quatre mains, le

soir de la fête des veuves? *La Valse des petites taupes.*

Elle se met à chanter.

Do, si, la, sol, fa, mi, ré, do.

LA MÈRE

Un succès, ma chère, un succès!

CAPULAT

Et le sous-préfet était là!

LA MÈRE, chantant à son tour.

Si, ré, si, sol, si, sol, ré, mi, fa, sol.

CAPULAT enchaîne.

Ré, do, si, ré, mi, la, do dièse!

ENSEMBLE, elles achèvent, tête contre tête.

La, si, do, ré, do, la, sol, la, sol, fa, mi, ré, do!

L'orchestre attaque sa valse reprenant les dernières notes. Elles restent un instant bercées, tête contre tête, puis Capulat se détache et s'éloigne, furtive, envoyant des baisers avec son écharpe. Elle a disparu comme un sylphe. La mère, les yeux mi-clos, la tête penchée sur ses mains, commence à valser toute seule. Josué paraît, il s'avance vers elle, avec précaution comme un chasseur de papillons. Elle sort en valsant sans le voir. Il sort derrière elle.

LE RIDEAU TOMBE

TROISIÈME ACTE

Derrière le rideau baissé, brillante musique de bal. Au lever du rideau sur la scène des couples tournoient; la danse finie, ils s'éloignent.
Madame Desmermortes entre en scène dans son fauteuil poussé par Capulat.

CAPULAT, après un temps.

Le bal bat son plein.

MADAME DESMERMORTES, avec humeur.

Qu'il le batte! Je m'ennuie comme une vieille tapisserie. Je n'ai jamais aimé danser, mais depuis que je suis clouée à cette chaise, je trouve cela extravagant! Vous avez jamais aimé cela, vous, ma bonne?

CAPULAT minaude.

J'ai eu vingt ans.

MADAME DESMERMORTES

Ah! bah! quand cela? Moi je vous ai toujours connu le même âge.

CAPULAT

Ha! madame, avant d'être chez madame, quand j'étais chez M. le baron.

MADAME DESMERMORTES

Chez le baron ou chez moi c'est tout comme. Vous êtes une bonne fille, Capulat, mais — je ne vous apprends rien — vous êtes laide. Quand on est laid, on n'a jamais vingt ans.

CAPULAT

On n'en a pas moins un cœur!

MADAME DESMERMORTES

Ah! ma toute bonne. Cet instrument-là sans les autres ne sert à rien. Mais ne me faites pas dire de bêtises... Vous avez tout de même été heureuse, Capulat, digne et respectée. Pour une fille comme vous, c'est la meilleure part.

CAPULAT

Il y a des soirs — des soirs de bal comme celui-ci — où il y a dans l'air quelque chose d'inexprimable...

MADAME DESMERMORTES

Je sais, ma chère. Ne l'exprimez pas. Cela ne vous irait point et de toute façon il est trop tard. Et puis, vous n'avez pas fait une si mauvaise affaire. Il vous reste le bon Dieu à vous. Une vie d'ennui, c'est un placement.

CAPULAT

Oh! madame!

MADAME DESMERMORTES

Vous irez vous asseoir sur les bons fauteuils à sa droite et moi j'irai d'abord griller à petit feu pendant deux ou trois mille ans. Bah! cela passe vite!...

CAPULAT

La miséricorde du Seigneur est infinie, madame.

MADAME DESMERMORTES

Il faut tout de même bien qu'il tienne ses promesses, sans quoi les justes, comme vous, qui ont tout misé là-dessus, seraient volés comme dans un bois. J'ai toujours rêvé du jour du Jugement dernier. Un bruit court parmi les Bienheureux : « Il paraît qu'il pardonne aussi aux autres! » Alors cela les met dans une telle rage, cela leur remue tellement la bile d'un seul coup qu'ils ne peuvent plus se retenir, ils éclatent en imprécations épouvantables et ils sont damnés à l'instant même. Avouez que cela serait comique!

CAPULAT

Oh! vous ne pouvez pas penser cela, madame!...

MADAME DESMERMORTES

Bah! ma chère!... Je puis tout penser. C'est bien le moins maintenant que je ne peux plus rien faire. Poussez-moi donc plus près de la porte que je voie un peu tous ces fous se trémousser. C'est la nièce de Romainville qui danse avec mon neveu?

CAPULAT

Oui, madame.

MADAME DESMERMORTES

Elle a une fraîcheur inattendue, cette fillette au milieu de toutes ces futures petites dames comme il faut. Il n'y a qu'elle qui n'a pas l'air de jouer la comédie. Pourquoi Romainville ne la montrait-il pas?

CAPULAT

Ah! madame! Je lui trouve pour ma part un

charme, une distinction, une grâce, comment
vous dire?...

MADAME DESMERMORTES, qui regarde la salle.

Comme vous voudrez, ma bonne, je ne vous
écoute pas. Vous savez ce que je pense? Qu'il
faudrait que nous nous amusions aussi ce soir,
toutes les deux. Qu'est-ce que nous pourrions
bien imaginer pour animer un peu cette soirée?

CAPULAT

Un cotillon?

MADAME DESMERMORTES

Un cotillon, un cotillon! C'est bien de vous.
C'est ce qu'on peut rêver de plus niais, ma
chère! Ah! que ce bal est donc bête... Regardez-
les tourner. Ils croient qu'ils s'amusent et ils ne
pensent tous qu'à leur petite vanité et à leurs
petites affaires. Le monde n'est plus drôle, il est
temps de partir! J'ai connu des bals inouïs de
mon temps. En 1902 à Biarritz, le duc de Médi-
no-Solar était amoureux fou de Lady Forgotten.
Vous savez ce qu'il fit, ma chère? On donnait
une redoute jaune, il vint en vert : c'était la
couleur des yeux de sa maîtresse. Naturellement, personne ne comprend. Le règlement de
la redoute était formel, on veut lui interdire

l'entrée. C'était un Espagnol, ma chère, un homme terrible, il ne donne pas un mot d'explication, il tue l'huissier. Bien entendu, la fête continue. Leurs Altesses les Infants devaient l'honorer de leur présence. Les organisateurs décident même — toujours à cause des Altesses — que l'incognito restera respecté. Mais tous les policiers avaient des dominos jaunes. Ils vous invitaient à danser avec des regards et des moustaches terribles sous les masques. Seulement, comme ils n'invitaient que les dames, ils n'ont jamais pu retrouver le duc. Le lendemain, il passait la frontière et se faisait tuer par un taureau à la grande course de Madrid. Voilà qui était vivre!...

CAPULAT

Ah! madame! Qui sait si des événements tout aussi romanesques ne se déroulent pas ici même en ce moment!

MADAME DESMERMORTES

Dans ce bal? Vous rêvez, ma bonne!

CAPULAT

Ah! madame! Si un jeune homme, beau, riche, follement épris, avait imaginé pour introduire ici celle qu'il aime... Mais chut!... J'en ai trop dit! J'ai promis le secret.

MADAME DESMERMORTES

Vous divaguez, Capulat. Quel jeune homme?

CAPULAT

Pas seulement un jeune homme. Une amie
chère, un peu de jeunesse retrouvée! Ah!
madame, au déclin d'une vie sans azur, un cœur
romanesque éclate quelquefois d'être mêlé de
près à un conte de fées!

MADAME DESMERMORTES

Quel cœur, quel conte de fées? Capulat, je ne
vous suis pas.

CAPULAT

Imaginez, madame, une intrigue troublante,
un amour plus fort que les barrières sociales et
que le scandale, une passion pure comme la
mort, un travesti. Une mère tremblante qui se
cache et voit son enfant triompher sans que
jamais — jamais, touchante et sainte femme! —
elle puisse dire son nom. Ah! les larmes me
viennent, madame, pardon!

MADAME DESMERMORTES

Mais, Capulat, expliquez-vous, mille ton-
nerres, au lieu de me pleurer sur la tête! Quelle
mère tremblante, quel amour?

CAPULAT

Non! Chut! J'en ai trop dit! J'ai promis le secret!

MADAME DESMERMORTES

Quel secret?

CAPULAT

Au plus profond de mon cœur, madame, enfoui, brûlant, comme un diamant! Elle l'aime, il l'adore, il est riche, elle est pauvre! Il la déguise et l'introduit dans ce château. C'est magnifique!

MADAME DESMERMORTES

Qui?

CAPULAT

Et tout le bal conquis ne s'occupe que d'elle. On chuchote le nom, on demande qui c'est. Elle passe comme une reine. Elle triomphe! Chère petite! Chère enfant des amours maubeugeoises! Ah! pardon! Pardon! c'est trop! En moi quelque chose se brise!

MADAME DESMERMORTES, sévère.

Capulat! Voilà vingt ans que vous êtes ma demoiselle de compagnie et vous ne m'avez jamais rien dit de drôle, mais je vous ai toujours comprise. Pour une fois que vos propos

m'intriguent, j'exige de vous comprendre encore
ou je vous chasse de mon service. Expliquez-
vous!

CAPULAT

Non. Chut! J'en ai trop dit! J'ai promis le
secret! Plutôt la misère, plutôt la mort! C'est
cela, la mort! Tuez-moi, madame, plutôt, tout
de suite. Je souffre.

MADAME DESMERMORTES

Qui vous parle de vous tuer? Capulat, je suis
votre maîtresse. J'ai l'habitude d'être obéie sans
en arriver à cette extrémité. D'ailleurs, je vous
ai toujours donné mes vieilles robes. Vous me
devez tout.

CAPULAT éclate en sanglots.

Je sais, je sais cela, madame! Deux devoirs
s'affrontent en moi! Ah! madame, nous étions
deux amies, deux pianistes! Jours heureux! In-
souciance d'oiseaux! Une amie, que dis-je? une
sœur. Je la croyais morte, je la pleurais. Je la
retrouve. Elle me dit qu'elle faisait partie de
l'orchestre! C'étaient des nègres, je m'étonne.
Alors elle avoue, elle me confie le cher secret.
Le fol amour de ce jeune homme pour sa fille;
la pieuse supercherie du bon ami!

MADAME DESMERMORTES

Quel bon ami?

CAPULAT

M. Guy-Charles de Romainville, âme d'élite!...

MADAME DESMERMORTES

Qu'est-ce qu'il a fait?

CAPULAT

Sa nièce n'est pas sa nièce! L'amour, l'amour l'a voulu! Un jeune homme qui vous est proche!... Mais chut! j'en ai trop dit! J'ai promis le secret!

MADAME DESMERMORTES

A qui?

CAPULAT

A la bien chère, sur sa tête, sur l'amitié des jours passés! Plutôt mourir! Mais ces violons! Ah! ces violons, madame, je suis folle...

MADAME DESMERMORTES

C'est ce qui me semble, ma fille. Poussez-moi donc jusqu'à ma chambre. Nous n'entendrons plus les violons et vous me direz les détails.

CAPULAT se jette à genoux et lui baise la main.

Ah! madame! vous êtes bonne! Ah! madame!

vous pouvez tout! Un mot de vous et les barrières tombent. L'amour triomphe et la pauvre mère humiliée peut enfin dire : « C'est mon enfant! »

MADAME DESMERMORTES

Nous verrons cela. Poussez, ma bonne, et expliquez-vous posément. Vous disiez que la nièce de Romainville...

CAPULAT

N'est pas sa nièce, madame. Votre neveu l'aime à mourir. Il a voulu, le cher enfant — je me permets de l'appeler ainsi —, qu'elle soit la reine du bal. Il a fait venir une robe de Paris, il a supplié sa sainte mère, mon amie...

MADAME DESMERMORTES

Mon neveu? Quel neveu? Frédéric?

CAPULAT

Non, madame. M. Horace. Mais chut! J'en ai trop dit! J'ai promis le secret!

Elles sont sorties.
Entrent Lady India et Patrice Bombelles dansant un tango mexicain.

PATRICE BOMBELLES

Sur le parc, ma chère, on m'a mis sur le parc.

En plein nord. Brutalement, en plein milieu de
l'après-midi, sans même m'avertir, on a démé-
nagé mes valises. Il paraît qu'on ne m'a pas
trouvé. Mais je n'en suis pas dupe. Je n'ai pas
quitté le billard. On ne m'a pas trouvé parce
qu'on n'a pas voulu me trouver. C'est un coup
monté, ma chère.

LADY INDIA

A qui a-t-on donné votre chambre?

PATRICE BOMBELLES

A la nièce de Romainville. Vous savez, cette
petite qui a de jolis yeux. Mais cette jeune
fille est un prétexte. La véritable raison est
qu'il nous a vus hier et qu'il veut m'éloigner de
votre appartement.

LADY INDIA

Vous brodez, mon cher, vous brodez. Il lui
aurait fallu mettre ma tante dans son jeu. C'est
impossible.

PATRICE BOMBELLES

Tout est possible, avec lui. Je lui ai vu offrir
un pot-de-vin à l'archevêque de Cantorbéry.

LADY INDIA

Et il l'a accepté?

PATRICE BOMBELLES

Non.

LADY INDIA

Et d'abord comment avez-vous pu voir qu'elle avait de jolis yeux?

PATRICE BOMBELLES

Qui, chère amie?

LADY INDIA

Cette nièce de Romainville.

PATRICE BOMBELLES bat en retraite.

Je n'ai jamais prétendu qu'elle avait de jolis yeux, Dorothée.

LADY INDIA

Prenez garde, Patrice! Mon amour pour vous est une chose exclusive et terrible. Si je savais que vous avez seulement regardé une autre femme, je vous abattrais comme un chien.

PATRICE BOMBELLES

Dorothée!

LADY INDIA

J'ai une conception sauvage et totale de l'amour. Ainsi vous voyez si vous dites vrai et si Romuald a réussi à nous faire changer de

chambre parce qu'il a surpris notre baiser de
l'autre soir. Je comprends fort bien qu'il songe
à vous détruire. Je vais être franche, Patrice,
je serais déçue qu'il ne le fît pas. Et vous?

PATRICE BOMBELLES

C'est-à-dire que, dans un certain sens, chère
amie...

LADY INDIA

Je trompe Romuald, c'est entendu, mais j'ai
besoin d'avoir pour lui la plus exigeante estime.
L'homme que j'aime doit être noble et courageux, mais l'homme que je trompe aussi. Il y a
ainsi des êtres d'essence supérieure qui ne
peuvent vivre qu'en beauté. Je suis de ceux-là.
J'ai besoin de chiens de race, d'objets rares,
d'hommes de premier plan autour de moi.
Enfin, Patrice, fier et susceptible comme vous
l'êtes, avouez que vous seriez terriblement mor-
tifié si la passion n'arrachait pas à Romuald un
cri sauvage?

PATRICE BOMBELLES

C'est-à-dire, Dorothée...

LADY INDIA

Non. Non. Un homme comme vous ne peut
désirer qu'une femme déjà farouchement aimée.

Ah! rien de tiède, Patrice, entre des êtres comme nous! Brûlons intensément! Les autres sont peut-être là pour vivre, nous, nous sommes sur cette terre pour brûler.

PATRICE BOMBELLES
Oui, Dorothée.

LADY INDIA
D'ailleurs nous sommes bien bons de nous soucier de lui; qu'il nous ruine. Moi j'adorerais être pauvre! Seulement, je voudrais être vraiment pauvre. Tout ce qui est excessif m'enchante. Et puis, il doit certainement y avoir une grande poésie dans la misère, n'est-ce pas, Patrice?

PATRICE BOMBELLES
Certainement.

LADY INDIA
Comme cela serait amusant! Je te ferais ta vaisselle, je cuirais, mon cher, pour toi. Je demanderais à Roeseda Sœurs de me faire des petits tabliers très drôles. (Il n'y a qu'elle, tu sais, qui pourrait me réussir ça.) Oh! rien qu'un bout d'étoffe, une fronce, mais son chic! Nous aurions des petites casseroles, des petits balais. Tu travaillerais dans une usine. (Avec mes rela-

tions au Comité des Forges, tu penses que je te trouverais tout de suite une place de métallo.) Tu rentrerais, le soir, harassé de fatigue et sentant très mauvais. Ce serait délicieux! Je vous laverais, cher, avec une petite éponge. Ah! que c'est beau, que c'est beau d'être pauvre! Mais qu'il vienne!... Qu'attend-il? Son argent me brûle. Je lui rendrai tout, tout de suite — sauf les perles.

Messerschmann est entré et s'arrête n'osant les aborder.

PATRICE BOMBELLES, au comble de la terreur.

Attention, le voilà! Bas les pattes!

LADY INDIA

La peur vous égare, Patrice!

PATRICE BOMBELLES

Vous ne me plaisez pas. Vous ne m'avez jamais plu. Vous ne pouvez pas me plaire.

LADY INDIA

Comment?

PATRICE BOMBELLES

Je ne suis avec vous que par pure convenance. C'est clair, vous m'ennuyez. D'ailleurs, je bâille.

Il bâille.

LADY INDIA

Patrice, je vous défends bien! Prenez mon bras. Narguons-le, au contraire... Sortons en dansant très ostensiblement ce tango.

PATRICE BOMBELLES

Vous êtes folle!

LADY INDIA

Quand la brute sommeille, il faut l'attaquer aux banderilles.

Haut, sortant dansant le tango avec lui.

Avez-vous vu des courses de taureaux, cher ami?

PATRICE BOMBELLES, haut.

Oui, chère amie, mais je n'aime pas cela!

LADY INDIA

Tenez-vous droit. N'ayons pas l'air de l'avoir vu. Qu'il ne sache pas encore si nous savons qu'il sait.

PATRICE BOMBELLES, sortant tremblant et s'embrouillant dans les figures.

Oui, mais s'il ne savait pas encore, Dorothée. Ne croyez-vous pas qu'en ayant l'air de trop

savoir qu'il sait, nous risquons peut-être un peu
inconsidérément qu'il sache?

> Ils sont sortis. Messerschmann va les suivre. Il
> appelle Josué qui passait.

MESSERSCHMANN
Mon ami!

JOSUÉ
Monsieur?

MESSERSCHMANN
Ces deux personnes, en longeant cette terrasse,
s'en vont bien vers les serres, n'est-ce pas?

JOSUÉ
Oui, monsieur. Puis-je me permettre de
prendre les ordres de monsieur pour le souper
de cette nuit?

MESSERSCHMANN
Des nouilles.

JOSUÉ
Sans beurre?

MESSERSCHMANN
Et sans sel.

JOSUÉ
Bien, monsieur.

> MESSERSCHMANN fait un pas. Il se ravise.
Dites-moi, mon ami?

JOSUÉ

Monsieur?

MESSERSCHMANN

En descendant cet escalier, je rejoins bien les serres par le verger, n'est-ce pas?

JOSUÉ

Oui, monsieur. Mais si monsieur cherchait à rejoindre les deux personnes de tout à l'heure, je prends la liberté de dire à monsieur que j'ai suivi ces deux personnes du regard tout en prenant les ordres de monsieur. Elles sont rentrées dans le corps du bâtiment par la petite porte du fond de la terrasse. Ces deux personnes sont donc très probablement remontées aux étages par le petit escalier intérieur.

MESSERSCHMANN

Ah! bien!

JOSUÉ continue, impassible.

Pour remettre un peu d'ordre dans leur toilette, sans doute, monsieur.

MESSERSCHMANN soupire.

Sans doute, oui. Merci.

Il va sortir d'un autre côté. Josué s'incline, lui rappelant :

JOSUÉ

Sans beurre.

MESSERSCHMANN soupire, sortant sombre.

Et sans sel.

Il est sorti. Josué sort de son côté. Les couples
dansant une valse ont à nouveau envahi la
scène. Frédéric traverse, rêveur, la foule des
danseurs. Il semble chercher quelqu'un. Isabelle le suit de loin. Sur la fin de la danse,
Frédéric rentre, toujours cherchant, par une
autre porte. Il voit Isabelle derrière lui.
Ils restent seuls, un peu gênés sur la scène
déserte.

ISABELLE

Excusez-moi.

FRÉDÉRIC

Pourquoi, mademoiselle?

ISABELLE

J'ai l'air de vous suivre. J'entrais par hasard.

FRÉDÉRIC

Je le pense bien.

ISABELLE

Un beau soir.

FRÉDÉRIC

Oui, très beau.

Un silence. On entend la musique de bal. Ils ne
savent pas quoi se dire.

FRÉDÉRIC

Vous avez une très jolie robe.

ISABELLE

Oui, très jolie.

Un temps encore, soudain elle demande :

Vous y croyez, vous?

FRÉDÉRIC

A quoi?

ISABELLE

Aux fantômes.

FRÉDÉRIC

Un peu, pourquoi?

ISABELLE

Vous avez l'air du fantôme de votre frère à
qui il serait arrivé quelque chose de très triste.

FRÉDÉRIC

C'est tout à fait cela.

ISABELLE

Vous êtes beau. vous êtes jeune, vous êtes

riche. Qu'est-ce qu'il peut bien vous arriver de triste?

FRÉDÉRIC

D'être beau, comme vous dites, d'être jeune, d'être riche et que cela ne serve à rien. Excusez-moi.

Il s'incline.

Mademoiselle.

ISABELLE

Monsieur.

> Frédéric est sorti dans le jardin. Une petite ritour-
> nelle peut-être. Horace surgit par l'autre porte.

HORACE

C'est parfait.

ISABELLE

Je ne sais pas quoi lui dire. Je me sens hon-teuse devant lui.

HORACE

Excellent!

ISABELLE

Il va se demander pourquoi je le suis partout, pourquoi j'essaie toujours de lui adresser la parole.

HORACE

C'est ce que je veux.

ISABELLE tombe assise.

Je n'en peux plus.

HORACE, sévère.

Il est minuit et vous êtes engagée jusqu'à l'aube, mademoiselle. Debout! D'ailleurs vous êtes bonne et c'est une bonne action que vous faites de remonter un peu ce pauvre garçon. Je vous assure que vous ne le regretterez pas... Bravo! Regardez-le avec ces grands yeux-là. Vous êtes une comédienne étonnante. Où avez-vous trouvé ce regard?

ISABELLE

C'est le mien.

HORACE

Compliments! Posez-le sur lui toute la soirée. Il ne peut pas ne pas être touché.

ISABELLE, doucement.

Sur lui ce ne sera peut-être pas le même.

HORACE

Quelque chose d'approchant suffira. Cher petit frère! Il a tellement peu l'habitude d'être regardé gentiment. Attention, le voilà qui revient. Vous voyez bien qu'il a envie de vous parler. Du sang-froid, de l'imagination. Je vous écoute.

Il disparaît. Frédéric rentre.

FRÉDÉRIC

Mon frère vous cherchait tout à l'heure.

ISABELLE

Je ne sais pas.

FRÉDÉRIC

D'habitude, quand mon frère cherche une jeune fille, elle le sait.

ISABELLE

Vraiment, je ne l'ai pas remarqué.

FRÉDÉRIC

N'est-ce pas qu'il est beau, mon frère?

ISABELLE

Oui. Très beau.

FRÉDÉRIC

Nous nous ressemblons comme deux gouttes d'eau, mais il n'y a que les hommes qui s'y trompent. Les femmes savent toujours quand c'est lui. A quoi peuvent-elles le voir?

ISABELLE

Je ne sais pas.

FRÉDÉRIC

Je crois que lui ne les regarde pas, c'est pour cela. Vous avez une très jolie robe.

ISABELLE

N'est-ce pas? Il n'est pas seulement beau.

FRÉDÉRIC

Qui?

ISABELLE

Votre frère.

FRÉDÉRIC

Oui. Il est très intelligent, bien plus que moi. Très courageux aussi, très intrépide. Toujours prêt à marcher sur les corniches ou à mettre ses mains dans le feu. Je ne crois pas cependant qu'il puisse faire une toute petite chose, tous les jours, pendant très longtemps. Je ne crois pas qu'il puisse aimer. C'est peut-être pour cela qu'on l'aime. Il est très dur. Il est très bon d'ailleurs aussi.

ISABELLE

Il vous aime beaucoup. Il ne voudrait pas que vous ayez mal.

FRÉDÉRIC

Oui, cela l'agace. Ce n'est peut-être pas parce qu'il m'aime beaucoup, mais cela l'irrite de me voir souffrir. Il n'aime pas que l'on souffre. Surtout d'amour.

Il se lève.

Je vous assure qu'il vous cherche, mademoiselle. Je cherche justement une jeune fille de mon côté. Si je le rencontre en la cherchant, voulez-vous que je lui dise que vous êtes là?

ISABELLE

Vraiment, non. Merci.

FRÉDÉRIC

Il est beaucoup plus amusant que moi.

ISABELLE

Je suis très bien près de vous. Restez. je vous en prie.

FRÉDÉRIC la regarde étonné
et tombe assis près d'elle en soupirant.

Oh! que c'est triste!

ISABELLE, un peu surprise.

Qu'est-ce qui est triste?

FRÉDÉRIC

Excusez-moi. Ce n'est pas très poli ce que je vais vous dire et c'est peut-être même un peu méchant, et je ne voudrais pas être méchant, mais si c'était cette jeune fille que je cherche en vain dans ce bal qui m'avait dit ce soir ce que vous venez de me dire, je crois bien que je serais mort de bonheur.

ISABELLE sourit gentiment.

Alors, il vaut mieux que ce soit moi qui l'ai dit.

Elle se lève.

D'ailleurs ce n'est ni impoli ni méchant et c'est un sentiment que je comprends très bien, moi aussi.

FRÉDÉRIC se lève aussi.

Vous êtes bonne. Excusez-moi tout de même. Mademoiselle.

ISABELLE

Monsieur...

Il est sorti. Horace entre aussitôt, par la même porte, de très mauvaise humeur.

HORACE

Ah! non, mademoiselle, non! Je ne vous ai pas engagée pour cela!

ISABELLE

Qu'ai-je fait?

HORACE

Ces soupirs, cet air de dire que vous aussi, vous seriez mieux avec un autre! Que ce soit la dernière fois. On vous paie pour jouer un rôle, eh bien! ma chère, jouez-le. Et sans honte. Il n'y a pas de sot métier. Le seul point c'est de le bien faire.

ISABELLE, doucement.

Arrêtez-vous.

HORACE

Pourquoi?

ISABELLE

Si vous me parlez encore sur ce ton, je vais pleurer.

HORACE

Excellent! Je n'osais vous le demander, les larmes forcées ont toujours quelque chose de grotesque. Mais, si vous pleurez de vous-même, excellent. Le cher petit frère va fondre.

ISABELLE

Pourquoi n'avez-vous pas de cœur?

HORACE

Parce que mon frère en a trop, mademoi-

selle. Nous sommes nés en même temps. Il s'est
fait entre nous un partage. J'ai eu autre chose,
il a eu tout le cœur.

ISABELLE

Vous le voyez pourtant que je suis malheureuse?

HORACE

Délicieusement. Vous avez une façon d'être
malheureuse qui attendrirait un rocher. Avez-
vous une sœur jumelle dont vous avez pris tout
le cœur, vous aussi?

ISABELLE

Je vous déteste.

HORACE

J'y compte bien! Dites du mal de moi avec
mon frère. Ayez des déluges d'attendrissement
tous les deux. C'est dans mon plan.

ISABELLE

Vous ne pensez pourtant pas que c'est pour
votre robe, pour votre cachet de danseuse que
je vous obéis ce soir?

HORACE

Mais non, chère petite âme, je ne pense rien
d'aussi laid.

ISABELLE

Cela m'est égal, votre frère. Cela m'est égal
de le guérir, égal d'être élégante et que tout le
bal me regarde. J'ai l'habitude d'abord que les
hommes me regardent, même quand je ne suis
pas aussi bien habillée. Vous croyez que c'est
amusant?

HORACE

Non, mon petit cœur, c'est affreusement
triste. Vous êtes la plus malheureuse du monde.
Ne vous retenez donc plus, laissez-vous aller.

ISABELLE

C'est laid, c'est obscène, les regards des
hommes! Cela se pose sur vous comme des che-
nilles, comme des limaces, cela se glisse partout.

HORACE

Fi! Quelle horreur! Et comme je vous comprends d'être désespérée. Pleurez, pleurez, mon
petit rat. Là, c'est bien. Vous voyez comme
c'était facile.

ISABELLE, pleurant.

Je vais avoir les yeux rouges. C'est malin!

HORACE

C'est inespéré!

Il se jette soudain à genoux et déclame, assez faux d'ailleurs.

Ah! Isabelle, chère Isabelle! Moi aussi je souffre, moi aussi je meurs!

ISABELLE s'arrête de pleurer.

Qu'est-ce que vous faites?

HORACE

Il revient. Gardez la pose. Je veux qu'il me trouve à vos pieds.

ISABELLE

Oh! c'est indigne!

HORACE, à genoux.

Oui, ma chère. Mon cœur déborde! J'en suis couvert! C'est une inondation de cœur! Vient-il vers nous?

ISABELLE

Oui. Levez-vous, je vous en supplie.

HORACE

Je tente un grand coup. Tant pis! Je vous embrasse!

Il la prend dans ses bras et l'embrasse. Elle se laisse aller avec un petit cri.

ISABELLE

Monsieur Horace!

Elle demande soudain.

Pourquoi tant pis?

HORACE s'incline devant elle, très froid.
Excusez-moi. Il le fallait.

Il se sauve. Elle tombe en larmes sur le canapé.

ISABELLE

Oh! J'ai trop honte!

FRÉDÉRIC entre.

Mais vous pleurez?

ISABELLE

Oui.

FRÉDÉRIC

Vous devriez pourtant être contente, mon
frère vient de vous embrasser. D'habitude les
autres rient, elles sont rouges et elles ont soudain
envie de bouger, de danser, de parler très fort.
Vous, vous êtes toute pâle et vous pleurez.

ISABELLE

Oui.

FRÉDÉRIC

Je m'excuse. C'est peut-être moi qui l'ai fait fuir?

ISABELLE

Non.

FRÉDÉRIC

Ne soyez pas malheureuse. Il y a bien assez de moi dans ce bal. D'ailleurs je ne sais pas pourquoi. Je crois que je ne pourrais pas supporter que vous soyez malheureuse.

ISABELLE

Laissez-moi.

FRÉDÉRIC

Mademoiselle, je sais que le chagrin des autres ne console pas beaucoup, mais je vais vous dire quelque chose tout de même, quelque chose dont je suis presque sûr, depuis hier. Je crois que cette jeune fille ne m'a choisi que parce qu'elle ne pouvait pas épouser mon frère. Elle s'est dit : « Puisque l'autre ne me veut pas, prenons celui-là qui est son image. »

ISABELLE

Si c'était vrai, cela serait bien laid.

FRÉDÉRIC

C'est tout de même une chance. Elle aurait

pu ne pas me choisir du tout. D'ailleurs, j'ai
l'habitude. Quand nous étions petits, que mon
frère faisait une bêtise et que la gouvernante
ne pouvait pas le prendre, c'était aussi moi
qu'elle punissait. Je suis une sorte de figurant.
Ce n'est jamais très vrai ce qui m'arrive.

ISABELLE

Vous aussi?

FRÉDÉRIC

Pourquoi, moi aussi? Vous êtes une vraie
jeune fille, vous. Et je ne voudrais pas vous
faire un compliment trop fade — ce n'est pas
le moment — je suis sûr qu'on ne vous confond
pas.

> Isabelle regarde au loin. Elle s'est raidie. Elle fait
> des signes de dénégation à quelqu'un dans la
> coulisse. Finalement, elle s'écrie :

ISABELLE

Ce n'est pas à cause de lui que je pleure,
monsieur!

FRÉDÉRIC

Comment?

ISABELLE

C'est à cause de vous!

FRÉDÉRIC

Mais mon frère vous a embrassée.

ISABELLE

Il m'a forcée! Ce n'est pas votre frère que j'aime!

FRÉDÉRIC

Mais qui est-ce?

ISABELLE lui crie soudain :

C'est votre frère, mais bon, mais tendre et un peu triste et capable d'amour. C'est votre frère, mais c'est vous!

Elle en a dit trop; elle se sauve avec un petit cri.

Oh!

FRÉDÉRIC pousse aussi un petit cri désemparé.
Oh!

Et il sort de son côté. Horace rentre traînant Isabelle.

HORACE

Très bien! Mais il ne fallait pas vous sauver. C'est la première fois qu'on lui dit qu'on l'aime, pauvre petit lapin. Regardez-le, cela lui a donné envie de courir. Brusquons les choses. La jalousie, tout de suite, tant que c'est chaud! Un troisième jeune homme est amoureux de vous!

ISABELLE

Quel jeune homme?

HORACE

C'est mon affaire, je le trouverai. Furieux de
voir que je ne vous quitte pas, il me provoque
ce soir même et nous nous battons.

ISABELLE

Vous êtes fou!

HORACE

Un duel au clair de lune, dans le petit bois,
pendant le souper. On entendra les coups de
pistolet. On arrêtera l'orchestre et tous les
convives sortiront avec les candélabres du salon
pour chercher le corps dans le parc. Pendant ce
temps, folle d'amour — car vous êtes folle
d'amour, c'est bien entendu, ma chère? — vous
vous jetez dans le grand bassin. Vous nagez?
D'ailleurs, c'est sans importance, vous avez pied
et je serai là. Je vous repêche, je vous ramène,
je vous pose toute mouillée sur l'herbe devant
mon frère et je lui dis : « Voilà ce que tu as
fait! » Après cela, s'il ne vous aime pas, le
bougre, c'est qu'il est encore plus fort que moi.
Vous hésitez, vous avez peur de la baignade,
peut-être? Je triplerai votre cachet et je vous
achèterai une autre robe.

> Il la prend dans ses bras avant qu'elle ait pu
> reculer. Il lui dit soudain comme un petit
> garçon gâté.

Soyez gentille, acceptez, mademoiselle, pour
me faire plaisir. Je m'amuse tellement ce soir
et c'est si rare pour moi.

> ISABELLE se dégage et se sauve soudain
> avec le même petit cri que tout à l'heure.

Oh!

> DIANA entre soudain.

Frédéric!

> HORACE se retourne.

C'est Horace.

DIANA

Ah! pardon.

HORACE

Je n'ai pas rougi. Celui qui ne rougit pas,
c'est Horace. Je vous donne le truc, il peut vous
être utile. C'est comme cela que notre bonne
s'y retrouvait autrefois pour les gifles. D'ailleurs,
pour être plus sûre, elle nous giflait tous les
deux et Frédéric n'avait jamais rien fait, déjà!
Vous le cherchez?

DIANA

J'ai cru que c'était lui qui embrassait cette
jeune fille. Mais c'était vous, c'est tout différent. Pardon. Vous avez vu votre frère?

HORACE

Bien sûr. Sauf vous, tout le monde l'a vu. Il erre comme une âme en peine dans le désert de ce bal. Vous voulez vous assurer que, ce soir encore, vous lui avez bien brisé le cœur?

DIANA

Je ne cherche à briser le cœur de personne. Vraiment, cela ne m'amuserait pas.

Elle fait un pas, s'arrête.

A propos, Frédéric m'a assurée que ce n'était pas lui qui m'avait embrassée hier dans le parc. J'ai menti pour qu'il n'ait pas trop de peine. J'ai dit que j'avais tout imaginé. Est-ce vous qui vous seriez permis cette plaisanterie détestable?

HORACE, *cherchant.*

Hier? Dans le parc? Vers quelle heure?

DIANA

Ne cherchez pas, je vous en prie, Horace. J'espère que vous n'avez embrassé que moi.

HORACE

Après le dîner? Non, vous devez faire erreur, ma chère. Je jouais au billard avec Patrice Bombelles.

DIANA

Frédéric m'a juré que ce n'était pas lui.

HORACE

Je ne vois qu'un troisième larron profitant d'une vague ressemblance.

DIANA

Vous avez tort de jouer avec l'amour de votre frère, Horace, c'est cruel. Si au moins vous m'aimiez. Si au moins c'était plus fort que vous. Mais ce n'est pas plus fort que vous, n'est-ce pas?

HORACE

Vous me mettez dans une situation impossible, ma chère. Je vais être obligé de vous dire que non.

DIANA

Je vous déteste!

HORACE

Vous aussi? Je suis bien peu aimé ce soir. Avez-vous vu Patrice Bombelles? On m'a dit qu'il me cherche partout. C'est cocasse, lui non plus n'est pas content de m'avoir trouvé dans les bras de cette jeune fille. Il paraît qu'il est fou d'elle. Je l'ignorais. Décidément tout le monde est fou de cette petite! Elle est d'ailleurs charmante et elle a une très jolie robe elle aussi, vous ne trouvez pas? Adieu. Dois-je vous envoyer mon frère?

DIANA

Je vous remercie. Je le retrouverai.

> Il est sorti. Diana reste toute seule, toute raide, soudain elle appelle.

Papa!

MESSERSCHMANN entre.

Mon enfant?

DIANA

Es-tu riche?

MESSERSCHMANN

On me le dit.

DIANA

Peux-tu tout comme lorsque j'étais petite?

MESSERSCHMANN

Presque tout.

DIANA

Ils nous ont chassés de partout quand nous étions pauvres tous les deux, tu te rappelles? quand nous allions de frontière en frontière, serrés l'un contre l'autre dans les wagons de bois.

MESSERSCHMANN
Pourquoi reparles-tu de cela ce soir?

DIANA
Tu te rappelles? Quand la petite fille à la robe trouée qui te suivait avait soif, pendant les trajets interminables, tu avais beau être un pauvre petit Juif refoulé de tous les pays d'Europe, tu devenais arrogant. Tu allais jusqu'au wagon-restaurant où on n'avait pas le droit d'entrer, à travers tous les wagons de première et avec tes derniers sous tu lui rapportais des oranges. C'est vrai, dis, cela? Je ne l'ai pas rêvé?

MESSERSCHMANN
Non. Mais tu as grandi depuis, ma petite fille. Entourée de tant de luxe, de tant d'esclaves, que j'espérais que tu aurais oublié.

DIANA
J'avais oublié. Mais ce soir, ils recommencent, papa.

MESSERSCHMANN
Qui recommence? Quoi?

DIANA
Tous. A nous humilier.

MESSERSCHMANN
Tu rêves. Ils tremblent devant moi. Je lève

un doigt et ils n'ont déjà plus que la moitié de
leurs petites rentes.

DIANA

Tu crois que je ne te vois pas derrière cette
femme? Tu as beau lui donner plus d'argent
qu'à toutes les autres, elle se moque de toi,
papa.

MESSERSCHMANN, doucement.

Je suis vieux, je suis laid, ma petite fille. Ce
sont mes affaires. D'ailleurs, il ne me déplaît
pas qu'elle me traite ainsi. Elle nargue, elle se
pavane, elle me dit que je suis un vilain vieux
Juif, mais je la tiens par le fil de son collier de
perles comme une carpe à un hameçon et elle
revient toujours. D'ailleurs, c'est un fait que je
suis un vilain vieux Juif et tous les soirs je vais
gratter à la porte de sa chambre et Lady India,
la plus jolie femme de la cour d'Angleterre, me
reçoit tous les soirs en me couvrant de mépris,
parce qu'elle a tous les soirs quelque chose à
me demander. C'est un sentiment assez doux
pour un vilain vieux Juif — mépris compris.

DIANA

Moi, je suis belle, moi, je suis jeune et je n'ai
pas de ces sentiments-là!

MESSERSCHMANN

Bien sûr, ma petite gazelle, ma petite reine de Saba...

DIANA

Pourtant ils essaient de m'humilier, moi aussi, papa.

MESSERSCHMANN

Tu as voulu ce garçon, je te l'ai acheté. Il se dérobe maintenant?

DIANA

Tu ne me l'as même pas acheté, il m'aime. Un joli cadeau! Je l'avais pour rien. Son frère se moque de moi.

MESSERSCHMANN

Je suis riche, mais je ne peux pourtant pas te les offrir tous les deux. Non pas parce que je ne suis pas assez riche, mais parce que cela ne se fait pas. Epouse celui que tu préfères, il est à toi.

DIANA

Tu n'es pas assez riche, papa, pour m'acheter celui que je préfère. C'est pour ça que j'ai pris l'autre.

MESSERSCHMANN

Pas assez riche, moi? Ne me fais pas mettre en colère.

DIANA

Tu sais ce qu'ils ont fait? Tu sais ce qu'il a fait, car c'est lui, j'en suis sûre. Il a fait venir cette jeune fille. Elle tourne autour du pauvre Frédéric, qui n'y comprend rien, et lui qui ne s'occupe de personne, l'insensible, le bel Horace, il ne la quitte pas. Tout le monde s'étonne et le bal n'a d'yeux que pour elle maintenant. Et on me laisse. Et je meurs qu'on me délaisse, même un tout petit peu. J'aime mieux déchirer ma robe tout de suite, me griffer les joues, devenir laide. Au secours, papa!

MESSERSCHMANN. devenu sombre.

Qui est cette jeune fille? Je ne peux presque rien sur une jeune fille.

DIANA

La nièce de Romainville.

MESSERSCHMANN

Bien. Je peux peut-être quelque chose sur ce Romainville. Qui est-il?

DIANA

Ce gros homme qu'on t'a présenté hier. Celui qui a l'air si respectable avec sa grosse Légion d'honneur.

MESSERSCHMANN

Je n'ai plus peur des Légions d'honneur. D'ailleurs j'en ai une. Je n'ai plus peur des airs respectables. C'était bon tout au début. Qu'est-ce qu'il fait? D'où vient son argent? Renseigne-toi.

DIANA

Si tu crois que j'ai envie d'aller questionner tous ces gens qui ne s'occupent pas de moi! Il est administrateur comme tous ces hommes-là. Vous les employez tous, pour faire bien, dans vos conseils.

MESSERSCHMANN

Ils sont commodes. De quoi celui-là fait-il semblant de s'occuper? de l'acier, du ciment, des sulfates?

DIANA

Il me semble qu'il a parlé de la Bromfield.

MESSERSCHMANN

C'est bien. Mène-moi à lui. Qu'est-ce que tu veux qu'il fasse, ma gazelle, pour t'être agréable? Qu'il renvoie sa nièce tout de suite au milieu du bal? Qu'il l'oblige à mettre une autre robe?

DIANA

C'est impossible, papa.

MESSERSCHMANN
S'il a un sou dans les sulfates, c'est possible.

DIANA
Tu n'es qu'un vieux Juif, trop riche. Tu crois que tu peux tout. Tu ne peux pas tout! Tu ne connais pas ces gens-là. Ils ont autre chose qui les passionne et qu'ils appellent leur honneur.

MESSERSCHMANN
Ils le disent. Ils n'ont même que ce mot-là à la bouche, Mais mène-moi tout de même à lui, je n'ai pas peur de son honneur. S'il a un sou dans les sulfates, il n'en aura plus.

DIANA
Vieux Juif! Tu crois que tu es invincible. Vous êtes tous les mêmes : fous d'orgueil dès que vous avez quatre sous.

MESSERSCHMANN, tout doucement
Quatre sous! Quatre sous! Tu exagères!

DIANA
L'argent ne peut rien! Tu auras beau en amasser encore dix fois comme tu en as, tu n'en auras jamais assez pour éviter d'être humilié et

empêcher ta fille de souffrir. Ils sont plus forts que nous, papa, avec leurs portraits pleins de poussière et leurs maisons qui ne tiennent plus debout. Ils veulent bien prendre notre argent pour payer les réparations, mais c'est tout. Ah! je te hais, je te hais d'être ta fille! J'aurais tant voulu être comme eux!

MESSERSCHMANN est devenu tout pâle.

Je n'aime pas que tu me dises des choses pareilles. Mène-moi à cet homme.

Il l'a prise par la main, ils sortent.
Entrent Patrice Bombelles et Horace par deux côtés différents. Thème héroïque et combatif à l'orchestre.

HORACE

Monsieur?

PATRICE BOMBELLES

Monsieur.

HORACE

Je vous cherchais.

PATRICE BOMBELLES

Moi, monsieur?

HORACE

Oui, monsieur. J'ai à vous parler.

PATRICE BOMBELLES

A quel sujet, monsieur?

HORACE

Vous étiez bien dans le parc hier, n'est-ce pas,
avec Lady Dorothée India, ma cousine?

PATRICE BOMBELLES

Peut-être, monsieur.

HORACE

Je vous observais sans penser à rien. Vous
sembliez avoir une discussion passionnée.

PATRICE BOMBELLES

Toute mondaine, monsieur!

HORACE

Je n'en doute pas. Mais à un certain moment
vous avez dû la mettre hors d'elle. Cette dame
vous a giflé.

PATRICE BOMBELLES

Moi, monsieur?

HORACE

Vous.

PATRICE BOMBELLES

Vous faites erreur, monsieur.

HORACE
Non, monsieur.

PATRICE BOMBELLES
C'est-à-dire, cette dame m'a peut-être giflé, mais ce n'est tout de même pas une raison pour penser ce que vous avez l'air de penser, monsieur!

HORACE
Qu'ai-je l'air de penser?

PATRICE BOMBELLES
Après tout, que diable! une gifle n'est pas toujours un signe d'entente entre un homme et une femme.

HORACE
Certes non.

PATRICE BOMBELLES
On gifle des indifférents, monsieur, des inconnus. Cela ne prouve absolument rien. Ainsi, si je vous giflais maintenant de but en blanc, en iriez-vous déduire et colporter partout qu'il y a entre nous des relations amoureuses?

HORACE
Je m'en garderais bien.

PATRICE BOMBELLES

Alors, monsieur, pourquoi cette attitude provocante, ces clins d'yeux, ces sourires, ces demimots, ces ricanements le soir sur les terrasses en faisant semblant de vous étrangler dans la fumée de vos cigares? Car je n'en ai pas été dupe, hier, monsieur, pas dupe un seul instant!

HORACE

Vous êtes très clairvoyant.

PATRICE BOMBELLES, soudain effondré.

Oui, monsieur, c'est ce qui me perd. Toujours aux aguets! Je vois tout, je devine tout. Je n'en peux plus.

HORACE

Voilà ce que je voulais vous faire dire.
Il lui prend le bras.

Parlons gentiment comme deux grands garçons. J'ai besoin de vous. Vous êtes jeune, vous êtes charmant, mais vous devez aimer la tranquillité. Avouez-moi donc, entre quatre yeux, que cette vieille liaison avec cette folle vous assomme?

PATRICE BOMBELLES

Je n'ai rien dit de tel, monsieur!

HORACE

Naturellement. Mais parlons net, voulez-vous?
Vous êtes dans une situation sans issue. Si Messerschmann apprend qu'elle est votre maîtresse...

PATRICE BOMBELLES, terrifié.

Pas les mots, monsieur, pas les mots!...

HORACE

Il vous casse les reins.

PATRICE BOMBELLES

Tout de suite, monsieur — pour toujours. Et
ce n'est pas seulement les sulfates, c'est toute
l'industrie qui m'est fermée.

HORACE

Et d'un autre côté si cette folle apprend que
vous la délaissez, elle en parle de dépit à Messerschmann, elle lui fait une petite danse et elle
obtient comme Salomé qu'il vous casse les reins
tout de même.

PATRICE BOMBELLES

Voilà deux ans, monsieur, deux ans que cela
dure!

HORACE

Eh bien, mon cher, cela va finir ce soir.

PATRICE BOMBELLES

Comment cela?

HORACE

Oh! d'une façon toute simple... Oui, c'est passionnant ces dilemmes, mais tout seul, on ne s'en sort jamais. J'ai pitié de vous, mon cher, et comme par ailleurs, cela m'arrange, je vous aide. Figurez-vous que vous êtes chez le dentiste. Vous avez sonné, vous vous êtes assis dans le fauteuil. Vous avez désigné la dent malade, l'autre a saisi ses instruments, vous êtes une grande personne : c'est trop tard, vous ne pouvez plus reculer.

PATRICE BOMBELLES

Que dois-je comprendre?

HORACE

Ceci. Il va falloir choisir. Ou vous refusez de m'obéir ce soir et, je vous le dis tout net, je m'arrange pour que votre patron apprenne votre liaison coupable...

PATRICE BOMBELLES

Non!

HORACE

Comment non?

PATRICE BOMBELLES

Vous êtes un gentleman, vous ne le ferez pas.

HORACE

Si. Je n'enverrai pas de lettre anonyme. Je ne soudoierai pas un domestique. Je le ferai comme un gentleman, mais je le ferai.

PATRICE BOMBELLES

Je vous méprise, monsieur.

HORACE

Bien.

PATRICE BOMBELLES

Cela vous est égal que je vous méprise?

HORACE

Tout à fait!

PATRICE BOMBELLES, vaincu.

Soit. On ne peut plus discuter. Que voulez-vous que je fasse?

HORACE

Que vous choisissiez, dans l'alternative, l'autre façon de vous suicider. Il y a ici une jeune fille qui est charmante. Pour des raisons très importantes que je n'ai pas à vous révéler, j'ai besoin que vous ayez l'air passionnément amoureux d'elle.

PATRICE BOMBELLES

Moi, monsieur?

HORACE

Vous. Ce n'est pas tout. Comme vous m'avez vu dans les bras de cette jeune fille, dans un accès de fureur jalouse, vous avez décidé de me souffleter.

PATRICE BOMBELLES

Moi, monsieur?

HORACE

Vous. Venez avec moi, nous allons régler l'incident. Nous nous battrons ensuite au pistolet dans le petit bois, au clair de lune. N'ayez pas peur, je tire très bien. Je vous promets de ne pas vous atteindre.

Ils sont sortis.
Entre Capulat suivie de la mère magnifiquement vêtue et emplumée.

CAPULAT

Chut!

LA MÈRE

Chut!

CAPULAT

Madame vient!

Elles se serrent l'une contre l'autre.

LA MÈRE

Moment troublant!

CAPULAT

Minute exquise!

LA MÈRE

Luxe enfin reconquis! Bijoux enfin portés!

CAPULAT

L'âmes des violons chante dans la nuit grise!

LA MÈRE

Je viens de naître enfin par ce beau soir d'été!

CAPULAT

Josyane, ma sœur, de tant de soies bruissante,
Tu es une autre, soudain surgie du souvenir...
A Maubeuge déjà tu étais triomphante,
Tu étais la plus belle et me faisais souffrir.
Mais je blasphème, non! Ce n'était pas souffrance
De te savoir aimée et de souffrir par toi.
Et ce beau lieutenant dont tu fis connaissance,
Il ne m'aurait pas vue, tu l'as aimé pour moi!

LA MÈRE

Ah! tête contre tête et mêlant nos anglaises
Blondes comme deux sœurs, te souvient-il des soirs
Sur le pupitre sombre où lasses des arpèges
Nous écrivions ensemble à ce bel ange noir?

CAPULAT

Missives enflammées! Amour inextinguible!
Toi tu tenais la plume et j'inventais les mots!

LA MÈRE

Quel petit dieu malin nous avait pris pour cible?
Folles que nous étions!

CAPULAT

             Quelquefois c'était trop!
Je lui écrivais : « Viens, viens ce soir, prends-moi
                        [vite!
Tu frapperas trois coups et je serai à toi! »

LA MÈRE

Et moi je te laissais, souriante, et, ensuite...

CAPULAT

J'entendais les trois coups et je rentrais chez moi!

LA MÈRE

Pardon, petite sœur!...

CAPULAT

Te pardonner, Josyane?
Pour mon seul grand amour à travers toi vécu?
Te pardonner ce trouble au profond de mon âme,
Te pardonner ces joies qui ne reviendront plus?
Ah! le fier lieutenant du cent soixante-huitième,
S'il avait su pourtant que celle qu'il aimait
C'était le professeur de piano du cinquième,
Cachée avec son cœur dans ton corps parfumé?

LA MÈRE

Six mois! Six mois durant nous fûmes ses amantes!

CAPULAT

Puis un enfant naquit dont j'étais mère aussi.
Avons-nous tricoté pour la tête charmante,
Rêvant du lieutenant au régiment enfoui?

LA MÈRE

Changé de garnison! J'écrivis à ma tante
Qui tenait un café-chantant à Montpellier,
Je me sentais trop seule...

CAPULAT

Et puis ce fut la pente...
Mais ce soir tu triomphes et vas tout oublier.
Les années de misère et le piano sordide
Et les compromissions où le sort t'accula,

Parais! Eblouis-les dans tes atours splendides
Tu es pour une nuit, comtesse Funela!

> La musique a repris. Capulat sort, furtive,
> envoyant des baisers à la mère.

CAPULAT

Chut!... Je vais chercher madame!

> Capulat sortie, Josué entre, cherchant toujours.
> Il s'arrête soudain cloué au sol en voyant la
> mère en grand appareil.

JOSUÉ

Oh!

LA MÈRE

Mon ami, voulez-vous avoir l'obligeance de
m'annoncer à votre maîtresse. La comtesse
Funela!

JOSUÉ

La comtesse?

LA MÈRE, superbe.

Funela!

JOSUÉ sort en appelant.

Monsieur Horace! Monsieur Horace! Au
secours!

> MADAME DESMERMORTES entre.
> poussée par la Capulat.
> Josué passe devant elle sans la voir.

Où court-il? Qu'y a-t-il? Le feu? Cela serait parfait. Montrez-vous, ma chère! Elle est très réussie! Nous pouvons entrer, nous allons faire sensation!

CAPULAT lui baise la main.

Ah! vous êtes bonne, madame.

MADAME DESMERMORTES

Mais non, mais non, ma chère. On n'est jamais bon, que dans les bons livres. Je ne fais cela que pour ennuyer mon neveu.

Entre Horace avec Josué.

Mon cher Horace, j'ai pensé que vous seriez heureux d'être présenté à une de mes bonnes amies d'autrefois. La comtesse Funela, que j'ai connue en Italie. Mon neveu Horace, comtesse.

LA MÈRE

Enchantée, monsieur.

HORACE s'incline.

Madame.

MADAME DESMERMORTES

Venez, ma chère, et vous, Capulat, poussez-moi. Je suis ravie de vous avoir revue après cette trop longue absence. Parlons de Venise. Quelle époque! Vous vous rappelez Palestrini? Quel fou! Il s'est éteint d'une jaunisse. Je vais vous présenter à tout le bal. Dites-moi, mon amie, vous aviez une fille, je crois, qu'est-elle devenue, cette chère petite?

LA MÈRE

Oh! C'est toute une histoire, ma chère!

MADAME DESMERMORTES

Eh bien, il faut me la conter!

Elles sont sorties.

JOSUÉ, affalé.

Voici la clef, monsieur, elle n'a pu que passer par la fenêtre, ou bien c'est madame qui lui a fait ouvrir.

Il s'oublie jusqu'à s'asseoir.

La comtesse Funela!... Je n'ai jamais rien vu de pareil.

Il se relève précipitamment.

Oh! pardon, monsieur.

HORACE

Qu'est-ce qu'il y a?

JOSUÉ

J'ai failli m'asseoir. Voilà trente ans que cela ne m'était pas arrivé.

ROMAINVILLE entre criant :

Arrêtez! Arrêtez! Arrêtez!

HORACE

Quoi?

ROMAINVILLE

Tout! Tout! Cette fois, c'est très grave... Arrêtez! Un traquenard abominable, une suite d'événements inattendus! Les dessous de la haute finance! Motus! Il faut que cette petite s'en aille à l'instant même, à l'instant même ou je suis ruiné.

HORACE

Qu'est-ce que vous racontez, vous aussi? Tout le monde est fou, ce soir.

ROMAINVILLE

Je suis administrateur dans plusieurs sociétés de sulfates et dans une société de ciment.

HORACE

Je le sais. Quel rapport?

ROMAINVILLE

C'est pourquoi cette jeune fille doit quitter

le bal à l'instant même. Oui, de puissants inté-
rêts financiers l'exigent. Chut! Je ne veux pas
vous expliquer. Manœuvres de Bourse. Si vous
ne voulez pas m'aider, tant pis pour votre tante!
J'aime mieux le scandale. J'aime mieux me
brouiller pour la vie avec elle. J'aime mieux
n'importe quoi. Je m'en vais sur-le-champ tout
lui dire!

HORACE

A ma tante? Regardez qui elle est en train
de présenter à tout le monde, en plein milieu du
grand salon.

ROMAINVILLE

Je suis myope. Je ne vois pas de loin.

HORACE

Mettez vos lunettes, cela en vaut la peine.

ROMAINVILLE les met.

Sacrebleu! Mais que fait-elle? Je ne rêve pas,
c'est...

HORACE

Oui. La comtesse Funela, de la haute société
italienne...

ROMAINVILLE

C'est encore vous qui avez inventé cela?

HORACE

Non, cette fois, c'est ma tante.

ROMAINVILLE

Mais pourquoi?

HORACE

Pour rien, elle, c'est ce qui est grave.

PATRICE BOMBELLES entre, agressif.

Monsieur!

HORACE, qui a tout oublié.

Monsieur?

PATRICE BOMBELLES

Cette situation ne peut plus durer et puisque vous n'acceptez pas de renoncer à cette jeune fille...

Il veut le gifler. Horace le repousse de mauvaise humeur.

HORACE

Ah! non, non, monsieur! Tout à l'heure! Vous m'ennuyez. Plus tard, plus tard, monsieur. Venez, Romainville, allons empêcher l'autre de se jeter à l'eau.

Il sort entraînant Romainville ahuri.

PATRICE BOMBELLES

C'est bien. Je reviendrai.

Il sort.

JOSUÉ, les bras au ciel.

Il n'y a plus de service possible!

Il sort.

LE RIDEAU TOMBE

QUATRIÈME ACTE

Même décor.
Isabelle est assise au milieu de la scène.
Horace fait les cent pas.

ISABELLE

Alors?

HORACE

Cela ne m'amuse plus. D'ailleurs votre folle de mère va faire une bévue d'un moment à l'autre et tout va s'écrouler. Regardez-la, elle roucoule, elle fait la roue, elle se dandine, c'est une basse-cour complète à elle seule. Elle me fait frémir. Elle est en train de raconter au général de Saint-Mouton qu'elle est la filleule du pape et l'autre vieil imbécile, qui voudrait bien que son catholicisme lui rapporte, se voit déjà ambassadeur au Vatican. Il faut agir!

ISABELLE

Est-ce que je dois toujours me jeter à l'eau?

HORACE

Vieille histoire! Il faut trouver mieux. Et tout de suite ou ma respectable vieille chipie de tante est capable de me manger mon effet.

Il crie soudain :

J'ai une idée!

ISABELLE soupire.

Vous me faites peur.

HORACE

Malgré l'entrée de cirque de votre mère, c'est incontestable, vous êtes restée le clou de ce bal. Vous avez fait sensation, ma chère : distinction, tenue, réserve, les douairières elles-mêmes sont pour vous.

Sort-elles des « Oiseaux » ou bien des « Hiron-
[delles »?
Qui donc l'a élevée, lui a donné ce ton?
Vraiment pour le maintien on ne fait pas
[mieux qu'elle!
Quelle pudeur, quel charme, en sa conver-
[sation!

Je vous suis, je recueille les murmures, flatté

comme un impresario. Les hommes, n'en parlons pas! La tapisserie des mères ayant des filles à marier vous fusille de ses faces-à-main, mais vous passez comme le grenadier de La Tour d'Auvergne! Les filles sont vertes de rage. Diana a donné le *la*. Mais tout cela n'était qu'un lever de rideau, une bluette, une berquinade, tout au plus bonne à remonter le pauvre Frédéric. Je vais faire mieux. Je vais faire courir le bruit que vous n'êtes pas vraiment la nièce de Romainville, que le pauvre gros n'est qu'un prête-nom et qu'il n'est sans doute pas impossible que votre mère soit votre mère! Ou mieux! Que riche à millions, comme de juste, et fruit des amours coupables d'une Altesse portugaise et d'un amiral-poète péri en mer (j'en trouverai bien un), on vous présente ce soir dans le monde, incognito. Et au petit jour, quand ma petite histoire rocambolesque aura suffisamment voleté de bouche en bouche et déposé ses œufs empoisonnés dans les oreilles bien lavées de toutes ces petites perruches, quand Diana sera tout à fait desséchée de jalousie, quand cet imbécile de Frédéric lui-même, obscurément flatté de votre choix, commencera à regarder d'un œil moins soumis son bourreau, je sors de la coulisse, je me montre, je monte sur une chaise sous prétexte d'annoncer le cotillon, je demande le silence et

je leur dis en substance : « Messeigneurs, vous
êtes tous empoisonnés. » Et profitant du désarroi,
j'enchaîne : « Imbéciles! Cette nuit était entiè-
rement truquée! Fictifs, tous ces événements.
Prévus d'avance! Scrupuleusement minutés! Au
cours de cette séance mémorable vous avez pu
voir — et du geste je montre Diana comme un
appariteur — le fond du cœur des jeunes filles :
ces rochers, cette boue, ces fleurs mortes, et vous
avez pu voir aussi — je vous montre, à votre
tour — un ange, un ange trop ressemblant
hélas! pour être vrai! Car vous avez été dupés,
messeigneurs! Ce que vous appelez la distinction, le bon ton, le goût, ne sont que vos pauvres
inventions. Cet ange, cette fille qui vous éblouit
depuis hier soir, est une figurante payée par
moi, une pauvre petite danseuse de l'Opéra que
j'ai engagée pour vous jouer la comédie. Elle
n'est pas la nièce de Romainville! Elle n'est pas
la fille naturelle de l'amiral-poète péri en mer,
elle n'est rien et personne ne l'aurait peut-être
remarquée si je ne l'avais amenée ici pour faire
son numéro habituel. Mais j'ai voulu que son
numéro fût la caricature réussie de votre propre
parade. Je l'ai jetée entre vos pattes, vêtue d'une
robe de vos couturiers, susurrant les mots de
votre clan et cela a suffi pour ébranler pendant
toute la nuit le prestige de votre « professionnal

beauty ». Vanité! Vanité! Tout n'est que vanité!
J'espère au moins que mon frère Frédéric est
maintenant désabusé. Quant à moi, je vous
trouve de moins en moins drôles, je ne veux
plus vous voir. Je pars demain par le premier
train de chasser le gros gibier en Afrique! Qu'en
dites-vous?

ISABELLE, doucement après un temps.

Et moi?

HORACE

Comment vous?

ISABELLE

Qu'est-ce que je deviens, moi?

HORACE

Que voulez-vous donc devenir? Je vous
remets, avec le cadeau que vous aurez bien
mérité, entre les bras de madame votre mère et
de Romainville. Et il vous reste une belle robe
et un joli souvenir, ce qui reste toujours d'un
bal.

ISABELLE

Vous n'avez pas pensé que je pourrais avoir
honte?

HORACE

De quoi? Vous êtes une fille libre, spirituelle. Vous ne pouvez que détester tous ces gens-là. Moi, je les méprise, et nous nous associons pour nous moquer d'eux. Quoi de plus drôle? Seriez-vous aussi une petite bourgeoise, ma chère?

ISABELLE balbutie.

Non, mais...

Elle va à lui soudain.

Je vous en supplie! Gardez la robe au besoin et laissez-moi repartir sans rien dire. Je vais appeler maman, vous nous ferez reconduire tout de suite à Saint-Flour, et je vous assure que personne n'entendra plus jamais parler de moi.

HORACE

Vous êtes folle!

ISABELLE

Je vous en supplie! Pas devant vous, alors! Pas devant votre frère! Pas tout de suite!

HORACE se dégage et sort.

A l'instant!

ISABELLE lui crie encore pendant qu'il sort.

Ah! monsieur Horace, c'est mal de ne penser qu'à jouer!

HORACE

On a juste le temps de cela, ma chère, avant d'être tout à fait mort.

> Il est sorti. Isabelle retombe sur son canapé avec un petit cri blessé.

ISABELLE

Oh!

> Diana entre. Elle la regarde un instant, immobile. Puis Isabelle lève la tête et la voit.

DIANA

Vous avez une très jolie robe, c'est vrai.

ISABELLE

Oui.

DIANA

Et c'est vrai aussi, vous êtes ravissante.

ISABELLE

Vous êtes bien bonne.

DIANA

Pas extrêmement soignée, peut-être. Vous sentez la nature. Pas une très bonne poudre sans doute, pas un très bon parfum.

ISABELLE s'est levée.

Figurez-vous que je trouve que les vôtres sont trop bons. Vous ne la sentez pas assez, vous.

DIANA

Quoi?

ISABELLE

La nature.

DIANA a un geste.

Des goûts et des couleurs, ma chère... D'ailleurs, si l'on n'a pas une femme de chambre très
au courant de tout cela, il est fatal qu'avec la
meilleure volonté du monde, on se néglige. On
ne peut vraiment pas se soigner tout seul. Vous
vous levez tôt?

ISABELLE

Oui.

DIANA

Cela se voit.

ISABELLE

Et vous, vous vous couchez tard?

DIANA

Oui.

ISABELLE

Cela se voit aussi.

DIANA

Merci. Entre nous, cela ne vous gêne pas
trop?

ISABELLE

Quoi?

DIANA

D'avoir sur le dos une robe que vous n'avez
pas faite vous-même?

ISABELLE montre sa robe.

Il y en a si peu.

DIANA

C'est égal. Vous ne devez pas vous sentir tout
à fait chez vous.

ISABELLE

On s'y fait. En revanche, mes cils sont de moi.

DIANA

Je vous félicite. Ils sont très beaux. Les yeux
aussi. Heureusement, car vous aurez beaucoup
besoin de tout cela, demain, sans la robe.

ISABELLE

Je l'emporte, on me la donne.

DIANA

Comme je suis contente! Vous pourrez donc
être belle encore une fois. Il paraît qu'il y a un
très joli bal pour le 14 Juillet à Saint-Flour. Vous

y ferez sensation. Ma robe à moi, vous l'aimez?

ISABELLE

Elle est très belle.

DIANA

La voulez-vous? Je ne la remettrai jamais. Je
les mets rarement plus de deux fois. D'ailleurs,
j'ai horreur du vert. Demain, j'en aurai une
rose, au dîner. Un chef-d'œuvre, ma chère, rien
que des petits plis, vingt mètres de tissu. Une
folie. Montez dans ma chambre, je vous la mon-
trerai. Pour mon séjour ici j'en ai apporté douze.
Venez les voir, je suis sûre que cela vous amu-
sera beaucoup.

ISABELLE

Non.

DIANA

Pourquoi? Seriez-vous envieuse, ma chère?
C'est un si vilain sentiment.

Elle se rapproche.

Vous auriez bien voulu être riche, n'est-ce
pas? Vous auriez bien voulu que ce soit vrai
l'histoire de ce soir et avoir beaucoup de robes
comme moi?

ISABELLE

Naturellement.

DIANA

Et vous n'en aurez jamais qu'une, chère petite. Et si je mettais le pied sur votre traîne, là, tout de suite, comme cela et si je tirais un tout petit peu, voilà que vous n'en auriez plus du tout.

ISABELLE

Enlevez votre pied de là!

DIANA

Non.

ISABELLE

Enlevez votre pied tout de suite ou je vous crève les yeux!

DIANA

Ne vous démenez pas ainsi, petite furie, cela va craquer!

La robe craque.

ISABELLE a un petit cri navré.

Oh! ma robe!

DIANA

Vous l'aurez voulu. Vous pourrez faire une petite couture, pour Saint-Flour, cela sera encore très bien. Car c'est passionnant, je n'en doute pas, d'être une petite intrigante et de venir triompher pour un soir avec une robe empruntée sur le dos, mais cela ne peut pas durer bien longtemps. Demain matin il faudra reprendre la petite valise de carton et le wagon de troisième classe qui sent le vomi et moi je serai encore là. Cela sera encore vrai, demain, pour moi, ma chère. C'est ce qui fait la différence entre nous.

ISABELLE la considère et lui crie soudain :

C'est amusant d'être méchant?

DIANA change de ton, s'assoit et soupire.

Non d'ailleurs. Mais on ne peut pas toujours s'amuser.

ISABELLE

Vous êtes malheureuse, **vous aussi**? C'est étrange. Pourquoi?

DIANA

Je suis trop riche!

ISABELLE

Frédéric vous aime.

DIANA

Je ne l'aime pas. J'aime Horace et mon argent le dégoûte. Et je pense qu'il a raison.

ISABELLE

Devenez pauvre.

DIANA

Si vous croyez que c'est facile!

ISABELLE

Je vous assure que je n'ai fait aucun effort.

DIANA

Vous n'avez pas un père comme moi! Vous n'avez pas dix ans de mauvaises habitudes derrière vous. Vous croyez que c'est amusant toutes ces robes? Je ne les aime plus, je ne les vois même plus. C'est comme cela qu'on s'habille, voilà tout. Et la saison prochaine ce sera autrement. Ce serait si bon de n'en avoir qu'une et de l'aimer.

ISABELLE

Ce serait bon jusqu'à ce qu'on vous la déchire.

DIANA

Un petit accroc de rien du tout! Et vous allez encore en faire vos beaux soirs. Ah! vous ne savez pas votre chance... Regardez ce tulle comme il est blanc, comme il est léger, comme il est beau. J'essaie de le voir avec vos yeux, avec les miens c'est impossible. Je ne vois plus rien. Cette bague, j'en ai dix autres, je ne la vois plus, ce n'est qu'une bague, je ne sais même plus quand ni pourquoi mon père me l'a donnée. Ce château, il doit être agréable, mais tous mes amis ont des châteaux, j'en ai aussi, c'est là que nous habitons, ce n'est plus le château, c'est une maison comme les autres. Je sais que c'est très irritant pour les pauvres ce genre de raisonnement, mais essayez de comprendre tout de même — je ne serai plus jamais, plus jamais, quoi que je fasse, « invitée au château »!

ISABELLE

C'est vrai que c'est triste.

DIANA

C'est affreusement déprimant! Seulement il y a tellement de pauvres, ils sont tellement intrigants et agissants tous, et puis comme c'est presque toujours eux qui écrivent les livres et les pièces de théâtre, ils ont réussi à faire une réputation à l'argent. Mais l'argent ne donne quelque chose qu'aux pauvres, précisément.

ISABELLE

Cela prouve qu'il y a quelque chose de mal fait sur cette terre. Mais cela nous dépasse l'une et l'autre. Et comme d'un autre côté on n'a jamais vu les riches faire un effort vraiment sérieux pour ne plus en avoir.

Elle va vers elle.

Comme justement moi ce soir si je suis humiliée, si je souffre et si j'ai ma seule robe déchirée, c'est parce que je suis pauvre. Je vais faire ce que font toujours les pauvres, les pauvres imbéciles qui sont si nombreux, si intrigants et qui ne comprennent jamais rien aux subtilités. Je vais passer aux actes et vous demander de sortir.

DIANA

Sortir? Vous vous croyez donc chez vous, ma petite?

ISABELLE

C'est aussi un défaut des pauvres. A force de n'être chez eux nulle part, ils ont fini par prendre le mauvais genre de s'y croire partout. Allez, allez, ma belle, allez pleurer sur vos millions plus loin! Je suis bien bête et j'ai bien honte d'avoir perdu une seconde à essayer de vous comprendre. Où irait le monde si on se mettait tous à faire cela? Chacun chez soi! Je vais passer aux arguments des pauvres maintenant. Si vous ne sortez pas, je vais vous battre.

DIANA

Me battre? Je voudrais bien voir cela!

ISABELLE

Vous allez le voir. Et je ne vous déchirerai pas votre robe, moi, puisque vous m'avez dit que vous en avez douze, et que cela ne vous ferait probablement rien. Je vous déchirerai votre figure, parce que le bon Dieu, qui pour une fois a été juste, n'en a distribué qu'une à chacun!

DIANA

Comme vous êtes vulgaire! Si vous croyez que vous me faites peur!

ISABELLE

Pas encore. Mais cela va peut-être venir!

Isabelle saute sur Diana. Elles se battent.

DIANA

Oh! petite peste! petit voyou! Mais elle me décoiffe!

ISABELLE

Votre femme de chambre arrangera cela! Elle est au courant.

DIANA, se battant.

Mais j'ai des poings comme vous, j'ai des griffes!

ISABELLE

Servez-vous-en!

Elles se battent. Diana s'arrête soudain et lui crie.

DIANA

J'ai été pauvre d'abord, moi aussi! A dix ans, je me battais avec les gamins du port d'Istamboul!

Elles se jettent à nouveau l'une sur l'autre et roulent par terre en silence. Entre Josué qui pousse un cri horrifié à ce spectacle et sort en criant.

JOSUÉ

Monsieur Horace! Monsieur Horace!

Frédéric entre aussitôt et s'arrête interdit. A sa vue, les deux jeunes filles se lâchent. Isabelle se lève la première, griffée, dépeignée. Elle va à lui.

ISABELLE

Ah! vous voilà, vous! Vous êtes content? Elles ont bien réussi vos intrigues? Vous vous êtes bien amusé ce soir? C'est fait votre scandale? Vous êtes monté sur votre chaise, vous leur avez dit qui j'étais? Si vous ne l'avez pas encore fait, je vous avertis que ce n'est plus la peine. Je vais le leur montrer, moi toute seule, qui je suis. Un voyou, comme mademoiselle vient de le dire! Ah! Vous allez le voir votre respectable

jeu de massacre, vous allez les voir vos douairières, je vais leur enlever leurs doutes, elles
vont le comprendre tout de suite d'où je sors!...
Vous allez le voir votre bal! D'abord, pour commencer, je m'en vais aller insulter ma mère, lui
arracher ses aigrettes devant tout le monde —
une jolie scène de famille — et la ramener par
la main sur cette terre, à la maison, à son balai,
à sa vaisselle, à ses leçons de piano. Elle est faite
pour cela, la comtesse Funela! Et il ne faut pas
qu'elle nous raconte des histoires. Son père était
un tout petit marchand de papiers peints, il les
portait lui-même, les rouleaux sur son dos, avec
le pot de colle. Et on lui donnait cinq francs
pour la course, et il était bien content parce que
cela lui permettait d'aller boire un coup sans
le dire à sa femme. C'est comme cela qu'ils sont
les pauvres! Tous ignobles! Pas fréquentables!
Ah! vous avez voulu jouer avec eux ce soir pour
vous désennuyer. Vous allez voir que vous avez
eu tort, mon beau jeune homme. Et que
c'étaient vos bonnes qui avaient raison autrefois en vous interdisant de les approcher dans
les jardins publics. Ils ne savent pas jouer, les
petits pauvres. Ils sont trop mal élevés. Moi, je
n'ai pas joué une seule fois depuis que je suis
ici, j'ai été malheureuse tout de suite, moi.
Parce que vous ne l'avez pas compris ou pas

voulu le comprendre sans doute : je vous aime.
C'est parce que je vous aime que j'ai ébloui vos
brochettes de vieilles dames, ce soir; c'est parce
que je vous aime que j'ai fait semblant d'être
amoureuse de votre frère et que j'allais me jeter
à l'eau pour finir tout à l'heure, comme une
idiote! Si je ne vous avais pas aimé tout de
suite, en arrivant, vous croyez que je l'aurais
acceptée, votre comédie? Vous ne dites rien?
C'est ennuyeux, n'est-ce pas, cette petite pauvre
qui vous crie qu'elle vous aime, au beau milieu
de votre salon? Ce n'est plus du jeu? Mais dites
quelque chose! Vous êtes devenu muet, vous
qui parliez tant?

FRÉDÉRIC balbutie.

Mais, mademoiselle, ce n'est pas moi.

ISABELLE

Comment, ce n'est pas vous?

DIANA

Mais bien sûr! Regardez-le donc! Il est tout
rouge! C'est son frère.

ISABELLE, soudain confuse.

Oh! pardon, monsieur!

FRÉDÉRIC

C'est moi qui m'excuse. Je suis impardonnable. J'aurais dû...

DIANA

Venez, Frédéric. Vous n'avez plus rien à dire à cette fille. Horace enverra tout à l'heure Josué lui régler ce qu'il lui doit.

FRÉDÉRIC

Comment pouvez-vous parler ainsi, Diana?

DIANA

Venez tout de suite, Frédéric, ou je ne vous reverrai pas de ma vie!

Elle sort.

FRÉDÉRIC

J'étais venu vous dire que j'étais confus de tout ce qu'on avait fait, que je trouvais tout cela très cruel et très laid. Je vous demande pardon pour eux.

ISABELLE, doucement.

Allez donc vite. Si vous ne la rattrapez pas tout de suite, elle va encore vous faire beaucoup d'ennuis.

FRÉDÉRIC s'incline.

Excusez-moi.

Il fait un pas.

Faut-il dire à mon frère que vous m'avez dit que vous l'aimiez?

ISABELLE

Non. Ce n'est pas la peine.

Frédéric a un geste navré et sort. La mère entre.

LA MÈRE

Ma petite!

ISABELLE

Ah! te voilà!

LA MÈRE tombe assise.

Tout s'écroule. Ce jeune homme est devenu fou. Il est monté sur une chaise, il est en train de raconter des horreurs. Je ne parviens pas à comprendre ce qui a pu le pousser à ce geste incompréhensible. C'est une terrible malchance... S'il m'avait laissée une heure de plus, j'étais en train de me faire inviter pour l'automne chez un général tout ce qu'il y a de bien. Maintenant, tous ces gens vont nous tourner le dos.

ISABELLE se lève.

Nous allons partir. Va enlever tes plumes. Tu
as des leçons après-demain à Paris.

LA MÈRE

Oh! toi, bien sûr! Toujours terre à terre! Le
beau rêve brisé, tu repars. Tu es une insensible.
Il ne t'aimait donc pas et moi qui avais cru?
Pourquoi, pourquoi t'aurait-il fait venir ici ce
soir, s'il n'avait pas été amoureux de toi?

ISABELLE

Pour s'amuser.

LA MÈRE

Non. Non. Tu ne m'ôteras pas de l'idée qu'il
y avait autre chose et que c'est toi qui n'as pas
su manœuvrer. Tu veux que je te parle fran-
chement? Tu es trop fière, ma petite. Jolie
comme tu es, tu as une chance, il ne faut pas la
faire attendre trop. Les hommes vous supplient,
on se croit la plus forte, et c'est vrai, pendant
tout le temps qu'ils vous désirent, on peut tout.
Leur argent, leur honneur, leur famille, tout
leur paraît vain. Mais si on laisse passer le bon
moment, si on les laisse penser une seule fois,
pendant une toute petite minute, qu'après tout
ils pourraient vivre sans vous, c'est fini, ma

belle! Ils se retrouvent tout d'un coup avec leurs millions, leurs bonnes vies tranquilles et toutes les autres jolies filles du monde, pour beaucoup moins cher, à leur disposition. Et il y en a, tu sais! Autant que des fourmis dans tous les recoins des villes, ouvrant des yeux comme des soucoupes devant les jolis magasins, reniflant les bons parfums au passage sur les vraies femmes riches, dressées sur leurs hauts talons, d'une arrogance, d'un chic suprême, avec une seule robe propre sur le dos et prêtes à se coucher tout de suite si un monsieur riche veut bien leur enlever, enfin, l'horrible poids de leur envie. Et si tu leur vois l'air traqué comme cela, c'est qu'il faut faire vite, ma petite. Cela vieillit, tu sais, d'être une jolie fille sans un sou.

ISABELLE

Tu en as assez dit maintenant. Va retirer tes plumes.

LA MÈRE se rapproche.

Ecoute-moi. J'ai eu une longue conversation avec Romainville, tout à l'heure. Tous ces événements l'ont enfin bousculé : il se déclare. Je sais ce que tu vas me dire : tu vaux mieux que cela. Mais il ne faut pas attendre éternellement le miracle. Tu as pu voir ce soir comme les jeunes gens de famille se conduisent. Lui, c'est un homme d'un certain âge, pondéré, parfaitement élevé. Il t'a étudiée assez longtemps, il me l'a dit lui-même, il sait tout ce qu'on peut attendre de toi. Il ne s'avance pas à la légère. Voilà : il nous assure très largement notre vie à toutes les deux.

En outre, il ne me l'a pas formellement dit — mais j'ai compris entre les mots — il n'est pas absolument interdit d'espérer, quand il aura suffisamment travaillé dans ce sens sa famille, qu'il te promette le mariage. C'est inespéré, ma petite. J'espère que tu en conviendras.

ISABELLE

Monte, maintenant.

LA MÈRE s'est levée hors d'elle.

C'est bien! C'est bien! Fais ta mauvaise tête, oublie tout ce que j'ai fait pour toi! Laisse passer la chance, petite dinde! Laisse faner ton charme sans t'en servir. Renferme-toi, enlaidis-toi à force de ne pas sourire. Parce que c'est très joli le mépris, mais cela fronce le nez; parfait l'orgueil, mais cela donne des rides. Et quand on n'a que ça dans la vie pour s'en tirer, il faut qu'on le ménage, son museau, ma biche! Laisse-moi te l'apprendre si tu ne le savais pas.

MESSERSCHMANN est entré.

Mademoiselle!

LA MÈRE fond soudain en sourires.

Cher monsieur, ravie de vous voir! Comment allez-vous?

MESSERSCHMANN, de glace.

Bien, madame.

LA MÈRE

Comtesse Funela. On nous a présentés tout à l'heure, mais dans un tel brouhaha...

MESSERSCHMANN

Madame, j'aurais souhaité vous demander la permission d'un entretien particulier avec mademoiselle votre fille.

LA MÈRE

Mais je vous l'accorde, cher monsieur. Vous pensez bien. Je vous l'accorde tout de suite et du plus grand cœur! Je te laisse avec M. Messerschmann, Isabelle. Je monte me reposer un peu. Ces raouts, cher monsieur, sont vraiment harassants. On en arrive à souhaiter un peu de solitude. Nous sortons trop... tous autant que

nous sommes, nous sortons trop!... Je vous laisse.
N'oublie pas le bon Romainville, ma chérie.
Tu sais que nous devons répondre dès ce soir à
son aimable invitation pour cet été... Cher monsieur, enchantée de vous avoir revu!...

Elle sort froufroutante.

MESSERSCHMANN commence tout de suite.

Voilà, mademoiselle. Je vais être un peu brutal. Je sais qui vous êtes, et, dans une demi-
heure, tout le monde le saura. C'est fini ici pour
vous. Vous avez eu beaucoup de succès ce soir,
tout le monde vous a trouvée charmante, mais
c'est une petite aventure qui ne pouvait pas
durer, vous vous en doutez bien. Je viens vous
demander de l'abréger encore. Remontez dans
votre chambre et disparaissez sans revoir personne. Vous avez été très brillante — une petite
étoile filante — éteignez-vous. Un peu plus tôt,
un peu plus tard, pour vous c'est la même chose.
Et je vous en saurai gré.

ISABELLE

Qu'est-ce que cela peut bien vous faire que je
parte ou que je reste?

MESSERSCHMANN

C'est un petit cadeau que j'aimerais faire à

ma fille. Vous voyez que je suis franc. Je n'ai
jamais trompé personne en affaires et cela m'a
toujours réussi. Combien voulez-vous?

ISABELLE

Rien, monsieur. J'allais partir.

MESSERSCHMANN

Je le sais. Il ne me paraît pas juste qu'on vous
laisse partir sans rien. Que vous a promis
Horace?

ISABELLE

Mon cachet de danseuse et cette robe qu'on
vient de me déchirer.

MESSERSCHMANN

Qui vous l'a déchirée?

ISABELLE

Votre fille.

MESSERSCHMANN

Cela me regarde donc. En plus de ce que vous
allez décider de me demander, je vous en rachè-
terai deux autres.

ISABELLE

Je vous remercie, monsieur, mais j'aime mieux
celle-là avec l'accroc.

MESSERSCHMANN

Comprenons-nous bien. Je ne voudrais pas que vous revoyiez Horace, même pour vos comptes. Combien voulez-vous pour partir sans le revoir?

ISABELLE

Rien, monsieur. Je ne comptais pas le revoir.

MESSERSCHMANN

Mais le cachet qu'on vous a promis?

ISABELLE

Je ne comptais pas le prendre. Je considère que j'ai dansé ici, ce soir, pour mon plaisir.

Messserschmann la regarde un peu en silence, puis s'avance, lourd, puissant.

MESSERSCHMANN

Je n'aime pas quand les choses sont gratuites, mademoiselle.

ISABELLE

Cela vous inquiète?

MESSERSCHMANN

Cela me paraît hors de prix. Pourquoi voulez-vous refuser l'argent d'Horace?

ISABELLE

Parce que cela me plaît de ne pas le prendre, voilà tout.

MESSERSCHMANN

Et le mien?

ISABELLE

Parce que vous n'avez aucune raison de m'en donner. Je vous ai déjà dit que j'allais partir. On m'a demandé, c'est vrai, de jouer ici, ce soir, une petite comédie... Mon rôle est fini, le rideau tombe et je m'en vais.

MESSERSCHMANN

Je n'aime pas que vous partiez sans rien.

ISABELLE

Pourquoi?

MESSERSCHMANN

Ce n'est pas dans l'ordre des choses.

ISABELLE

Je le regrette, mais c'est tout de même ce que je vais faire. Excusez-moi, monsieur.

Elle va sortir.

MESSERSCHMANN crie, soudain furieux :
Ah! non. Ne faites pas comme Ossowitch!

ISABELLE s'arrête interdite.

Ossowitch?

MESSERSCHMANN

Oui. C'était un banquier d'un groupe adverse
avec qui j'avais à discuter certaines affaires importantes. C'était un homme qui sortait tout le
temps. Dès que nous n'étions plus d'accord, et
cela nous arrivait souvent, il sortait. Il fallait
constamment le rattraper dans l'antichambre
ou dans l'ascenseur. Et plus on le rattrapait
loin, plus cela vous coûtait de l'argent. Finale-
ment j'ai dû l'inviter en pleine mer, sous un
prétexte, sur une périssoire dans la baie de
Dinard, après m'être assuré qu'il ne savait pas
nager. Et là, je lui ai offert un forfait énorme,
pour en finir. Depuis, nous sommes devenus les
meilleurs amis du monde, mais il a appris à
nager. Ne faites jamais semblant de sortir, mon
enfant, c'est un mauvais moyen. On n'est
jamais d'accord dans une discussion d'intérêt,
mais on reste assis, sans cela il n'y aurait plus
d'affaires possibles. Allons, ma petite demoiselle, soyez raisonnable, vous aussi. Considérez
que plus le temps passe, plus il y a de chances
pour que tout le monde sache tout et moins cher
vaut votre silence. Faites-moi un bon prix tant
qu'il est encore temps. J'ai des principes, bien

sûr, et je discute toujours la plus petite chose
comme s'il s'agissait de tout mon argent, mais
j'en suis arrivé à un point où on peut se permettre d'être sentimental de temps en temps.
Cela vous donne d'ailleurs un nouveau ressort
pour les autres fois, ces petites fantaisies. Vous
m'êtes très sympathique et je suis disposé à être
très généreux avec vous. Combien voulez-vous?

ISABELLE

Rien, monsieur.

MESSERSCHMANN

C'est trop cher. Tenez, je vais faire une folie,
je vais vous offrir le double. J'ai des billets sur
moi. J'ai toujours beaucoup de billets sur moi
et si cela n'était pas si lourd, j'aurais de l'or.

Il sort une liasse de billets de sa poche.

Bon. Regardez cette liasse-là, bien vierge, bien
nette, une belle petite brique! Et cela s'effeuille
et cela devient des robes, des bijoux, un beau
sac, ce qu'on veut. Avouez que cela serait amusant d'avoir tous ces beaux petits papiers-là sur
vous.

ISABELLE se montre toute nue sous sa robe.

Où voudriez-vous que je les mette?

MESSERSCHMANN, comme un marchand, soudain.

Voulez-vous que je vous les enveloppe? Je vous ferai un petit paquet, bien propre, avec une petite ficelle?

ISABELLE

Ecoutez, monsieur. Je ne veux pas sortir encore, comme M. Ossowitch, pour ne pas vous rappeler un trop mauvais souvenir, mais je vous demande de me croire. Je ne veux pas de votre argent.

MESSERSCHMANN empoche ses billets, furieux.

Vous êtes très forte, mademoiselle.

ISABELLE, simplement.

Non. Je suis très malheureuse. J'ai très honte et j'en ai tant entendu ce soir, à cause de l'argent, que sa vue même me fait horreur, voilà tout.

MESSERSCHMANN hausse les épaules.

C'est du sentiment! Mais je vous ai dit que j'étais tellement riche que je pouvais me permettre maintenant de comprendre aussi les sentiments. Laissons là ces vilains billets puisque leur vue vous offusque. Vous avez raison. C'est trop précis des espèces, c'est moi qui ai été un

maladroit. Je vais vous faire un chèque, voulez-
vous? avec beaucoup de zéros.

Il tire son carnet de chèques, son stylo.

Je vais mettre un « un » là, à gauche, sur le
petit espace réservé et puis je vais écrire des
zéros jusqu'à vous me disiez : « Assez. » Nous
commençons?

ISABELLE le *regarde soudain et lui dit :*

Est-ce qu'on peut vraiment réussir comme
vous l'avez fait dans les grandes affaires qui
mènent le monde, sans être très intelligent?

MESSERSCHMANN *range son carnet de chèques*
et crie soudain, hors de lui.

Je suis intelligent, mademoiselle! Je suis très
intelligent! Et c'est parce que je suis très intelligent et que j'ai une grande expérience de la
vie que je vous dis que je ne vous crois pas.

ISABELLE

Alors, si vous êtes intelligent, raisonnons. La
demi-heure de silence que vous vouliez m'a-
cheter est déjà presque passée à notre bavar-
dage. Votre fille sait qui je suis, elle sait que
tout le monde le sait. Elle n'a plus lieu d'être
jalouse. Horace ne se soucie pas de moi, je vous

l'assure, et mon intention est précisément, comme je vous l'ai dit, de ne plus le revoir. Si vous ne m'aviez pas retenue, je serais même déjà partie. Vous voyez bien que je n'ai plus rien à vendre?

MESSERSCHMANN lui crie, rouge de rage.

On a toujours quelque chose à vendre, mademoiselle! Et puis, même si c'est vrai que vous n'avez plus rien, il faut que je vous achète tout de même quelque chose, maintenant que nous avons commencé à discuter.

ISABELLE

Pourquoi?

MESSERSCHMANN

Parce que je ne croirais plus en moi si je ne le faisais pas.

ISABELLE sourit malgré elle et, gentiment :

S'il vous en faut si peu pour ne plus croire en vous, je vais l'écrire à M. Ossowitch!

MESSERSCHMANN, redevenu calme.

Ossowitch était un enfant! Avec les adversaires de taille je joue toujours cartes sur table. Vous voyez, je suis franc, mademoiselle. Maintenant ce que je vous achète, ce n'est plus le caprice de ma fille — vous avez raison, elle est rassurée —, c'est ma propre tranquillité d'esprit. Et elle n'a pas de prix pour moi. Combien voulez-vous?

ISABELLE

C'est en répétant la même chose tout le temps, comme cela, qu'on devient les maîtres du monde?

MESSERSCHMANN

Maintenant c'est vous qui ne comprenez plus. Il ne s'agit pas de vous humilier et de vous proposer une petite somme pour vous faire décamper d'ici. Tout ce qui vous a permis de me résister jusqu'ici : votre orgueil, votre blessure, je vous les laisse intacts. Je vais même vous dire mieux, mademoiselle, je les comprends, je les respecte. C'est ignoble, en effet, ce qu'il vous a fait, le petit Horace; c'est ignoble ce que je vous proposais, il y a un instant, pour payer une lubie de ma fille. Mais il ne s'agit pas de cela. Restez au château si vous voulez pour ennuyer ce garçon, continuez à agacer ma fille, elle a assez de succès, toujours, elle s'en remettra — et d'ailleurs cela lui fera du bien —, mais acceptez de l'argent de moi. Je ne vous demande rien en échange.

ISABELLE

Non.

MESSERSCHMANN

Tout à l'heure vous aviez raison, maintenant vous avez tort. Votre position n'est plus défendable. Même quand on sent la faiblesse momentanée de l'adversaire, il ne faut jamais s'entêter sur une position qui n'est pas raisonnable.

ISABELLE

Je ne veux pas être raisonnable. Je veux faire une fois, enfin, ce qu'il me plaît.

MESSERSCHMANN

Ecoutez-moi bien! Nous allons jouer le grand jeu! Je vous dote. Dans cinq minutes, vous pouvez rentrer dans ce salon la tête haute. Tous les mensonges d'Horace deviennent vrais. Vous êtes aussi riche que toutes les filles de ce bal. Romainville, si je le veux, vous adopte. Vous devenez vraiment sa nièce.

ISABELLE

Quel honneur!

MESSERSCHMANN

Il vous a humiliée, vous aussi? Je le force à vous demander pardon. Je l'oblige, en plein salon, à embrasser le bas de votre robe, il trouvera le moyen d'en rire et de le faire si je le

veux. Ecoutez-moi, je peux plus que dans les
contes de fées! Je vous fais si riche que je force
le plus beau garçon de cette société, le plus
noble, à vous demander tout de suite votre
main!

ISABELLE

Je vous remercie. Tout cela ne me ferait pas
autant de plaisir que de vous dire non.

MESSERSCHMANN hurle soudain.

Mais moi non plus je ne crois pas à l'argent,
mademoiselle! Tout ce qu'il m'a donné est poussière, fumée, nausée, vomissement! J'ai mal au
foie tout de même et je ne peux jamais rien. Je
mange des nouilles, je bois de l'eau et je n'ai
aucun plaisir à posséder chaque soir cette
femme fermée. Et je ne souffre même pas qu'elle
me trompe, ce qui serait au moins tenir quelque
chose, parce que je ne la désire pas, pas plus
que le ventre de sa mère. Et je n'en désire
aucune autre, je ne désire rien! Je ne suis qu'un
pauvre petit tailleur de Cracovie et la seule vraie
joie que je me rappelle c'est le premier costume
que j'ai réussi à seize ans. C'était la veste d'un
pope, elle tombait bien et mon père m'a dit :
« Jonathan, cette fois c'est bien, tu sais ton
métier. » Et j'ai été heureux. Depuis je n'ai
plus rien réussi jamais, qu'à avoir de l'argent,

de plus en plus d'argent et l'argent ne m'a jamais donné l'amour de personne, même pas celui de ma fille — même pas l'amour de l'argent lui-même. Ayez pitié de moi. Ne m'abandonnez pas ce soir. Acceptez mon argent!

ISABELLE

Non.

MESSERSCHMANN

Non? Eh bien! regardez ce que j'en fais des belles petites briques qui peuvent tout, puisqu'elles ne peuvent plus me servir à rien! Je les mange, je les déchire avec les dents, je les crache!

> Il a pris les liasses de billets et il commence effectivement à les déchirer à belles dents, puis bientôt, pour aller plus vite, avec les mains.

ISABELLE lui crie, joyeuse :

C'est une idée! Donnez-m'en quelques-uns, je vais vous aider. Cela me fera du bien!

> Elle lui prend des liasses des mains et commence à les déchirer avec lui tranquillement. Ils jettent les morceaux en l'air. Ils travaillent un instant fébrilement tous les deux dans une pluie de petits morceaux de papier.

MESSERSCHMANN, dans une sorte de furie.

Là! Là! Là! Là! Cela c'est une maison de campagne : le rêve de tous les petits rentiers!

ISABELLE, déchirant elle aussi allégrement.

Avec le jardin, le bassin, les poissons rouges, les roses!

MESSERSCHMANN

Tout! Cela c'est un commerce, de quoi être tranquille tout une vie. Un commerce de modiste : celui que je comptais vous offrir, comme un imbécile!

ISABELLE, déchirant.

Bravo! Cela c'est un chapeau!

MESSERSCHMANN, vexé, sans s'arrêter.

Pourquoi seulement un chapeau?

ISABELLE

Il était très cher.

MESSERSCHMANN

Voilà des robes, encore des robes, toutes les étoffes, dont elles ont besoin toutes sur leur dos. Voilà des manteaux, des fourrures!

ISABELLE, déchirant.

Pas trop, c'est l'été!

MESSERSCHMANN

Voilà du beau linge, le vrai luxe, celui qu'on

a en dernier. Voilà des draps de satin, des chemises de nuit chères comme des robes, des chemises de jour trop courtes! des mouchoirs
brodés!

ISABELLE, déchirant.

Voilà une valise!

MESSERSCHMANN s'arrête un instant, surpris.

Pourquoi, une valise?

ISABELLE

Pour tout mettre!

MESSERSCHMANN, recommençant.

Voilà les bijoux, les colliers, les bagues, toutes
les belles bagues!

ISABELLE, déchirant des billets.

Oh! la belle perle!

MESSERSCHMANN

Vous la regretterez!

ISABELLE lui prend d'autres liasses.

Sûrement pas!

MESSERSCHMANN

Voilà les voyages, toutes les joies du jeu, voilà

les esclaves, les nobles bêtes de race, toutes les
belles filles soumises, voilà les consciences des
honnêtes gens! Voilà le petit bonheur de tout ce
petit monde lamentable! Là! Là! Là! Là!

Il déchire les derniers billets et se retourne.

Vous êtes contente maintenant?

ISABELLE, fatiguée.

Non. Et vous?

MESSERSCHMANN

Moi non plus.

Ils se sont assis sur leurs talons, épuisés, l'un à
côté de l'autre. Isabelle ramasse un petit billet
oublié par terre et le déchire en disant :

ISABELLE

Voilà pour les pauvres! Nous les avions
oubliés.

Un temps, elle le considère affalé, la tête dans ses
mains et demande gentiment :

Je parie qu'ils ne vous avaient pas donné tant
de mal à gagner?

MESSERSCHMANN, pitoyable,
au milieu de ses billets déchirés.

Je suis très malheureux, mademoiselle!

ISABELLE, gentiment.

Moi aussi.

MESSERSCHMANN

Je comprends très bien ce que vous souffrez.
Je suis sans doute le seul, ce soir, dans ce château, à pouvoir le comprendre. Ils m'ont humilié longtemps, moi aussi, et puis je suis devenu
plus fort qu'eux. Alors je me suis mis à humilier
à mon tour. On est tout seul, voilà ce qui est
sûr. On ne peut rien les uns pour les autres,
que jouer le jeu.

> Ils regardent droit devant eux, tous les deux assis
> par terre au milieu des billets déchirés. Josué
> entre qui les trouve, surpris, dans cette posture.

MESSERSCHMANN le voit et lui crie :

Qu'est-ce que vous voulez, vous?

JOSUÉ

Monsieur, c'est M. Horace qui fait dire à
mademoiselle qu'il l'attend dans le petit bou-
doir pour régler ses comptes avec elle.

ISABELLE s'est levée.

Vous lui direz qu'il ne me doit plus rien.
M. Messerschmann m'a payée.

> Elle sort. Messerschmann la regarde partir puis se
> lève soudain et va à Josué.

MESSERSCHMANN

Mon ami.

JOSUÉ

Monsieur?

MESSERSCHMANN

Vous avez l'air d'avoir une bonne tête?

JOSUÉ, après le premier étonnement.

Je fais partie d'une génération de vieux ser-
viteurs qui ne se le permettaient pas dans le
service, monsieur. Mais le dimanche et plus
généralement les jours de congé, mes amis et
mes connaissances ont accoutumé de me dire,
en effet, que j'ai un visage franc, ouvert, plutôt
jovial même. Une belle physionomie, bien française, bien de chez nous, monsieur.

MESSERSCHMANN

Alors, écoutez-moi. Vous avez dû faire de
l'histoire sainte quand vous étiez petit?

JOSUÉ

Un peu, monsieur, comme tout le monde.

MESSERSCHMANN

Avez-vous entendu parler de Samson?

JOSUÉ
Un Israélite, monsieur?

MESSERSCHMANN
Oui, peut-être. Tout le monde était juif dans ce temps-là.

JOSUÉ
Je crois me souvenir qu'on lui avait coupé les cheveux?

MESSERSCHMANN
Oui, et il était très malheureux. Bafoué, mon ami, toujours bafoué par tout le monde. On lui avait crevé les yeux. On le croyait aveugle, mais je suis persuadé qu'il y voyait.

JOSUÉ
Cela se peut bien, monsieur. Moi j'ai eu une tante qui avait la cataracte et un beau jour...

MESSERSCHMANN continue sans l'écouter.
Un beau jour, n'y tenant plus, il se fit placer entre les colonnes du temple. Il était très fort, terriblement fort, vous m'entendez? Il les embrassa ces colonnes!...

Il embrasse Josué épouvanté.

Comme cela!

JOSUÉ, embarrassé.

Oh! monsieur! Que monsieur veuille bien faire attention, on pourrait nous voir.

MESSERSCHMANN

Et puis, il les secoua de toutes ses forces.

Il secoue Josué.

JOSUÉ, secoué.

Oui, monsieur... Que monsieur prenne garde! C'est moi qui me ferais gronder!

MESSERSCHMANN le lâche avec un soupir soulagé.

Voilà.

Un silence.

JOSUÉ, qui répare le désordre de sa toilette.

Voilà, monsieur.

Il ajoute, pour dire quelque chose :

Un bien vilain geste dans une église...

MESSERSCHMANN ricane sombrement.

Vous pouvez le dire. Car il était tellement fort que le temple entier s'écroula sur les deux mille Philistins qui étaient là pour prier leurs faux dieux et à le prendre pour un imbécile!

JOSUÉ

Et sur lui, monsieur.

MESSERSCHMANN

Et sur lui aussi. Mais cela n'avait aucune
espèce d'importance. Qu'est-ce que ça pouvait
bien lui faire d'être pauvre?

JOSUÉ

Pauvre, non, monsieur, mais écrasé!

MESSERSCHMANN crie.

Aucune importance, vous dis-je!

JOSUÉ

Bien, monsieur.

Un temps. Josué recule prudemment. Messerschmann le rappelle soudain brutalement.

MESSERSCHMANN

Mon ami?

JOSUÉ

Monsieur?

MESSERSCHMANN

Avez-vous été cuisinier?

JOSUÉ, que rien n'étonne plus.

C'est une filière qu'un maître d'hôtel a très

rarement l'occasion de suivre, monsieur. Cependant, quand j'étais gamin, j'avouerai à monsieur
que j'ai effectivement été gâte-sauce chez un
prince de l'Eglise, où mon oncle était premier
valet de pied.

MESSERSCHMANN

Eh bien, puisque vous avez été cuisinier, vous
allez pouvoir me répondre. Existe-t-il plusieurs
façons de préparer les nouilles à l'eau, sans
beurre et sans sel?

JOSUÉ

Non, monsieur. Personnellement, je n'en
connais qu'une.

MESSERSCHMANN

Vous pouvez disposer.

JOSUÉ

Bien, monsieur.

Il va sortir.

MESSERSCHMANN l'arrête.

Un détail encore. Le téléphone fonctionne
toute la nuit dans ce pays?

JOSUÉ

Oui, monsieur. Nous sommes depuis peu,

directement reliés à Saint-Flour. Cela a été une grande victoire de madame, monsieur. L'administration était contre. Nous le devons à l'archevêque et aux comités francs-maçons qui, ayant agi de concert, ont fait céder l'administration.

MESSERSCHMANN

Je peux donc appeler l'étranger de ma chambre, cette nuit?

JOSUÉ

Certainement, monsieur.

MESSERSCHMANN

C'est tout ce que je voulais savoir. Comme Samson! Les yeux fermés!

JOSUÉ, qui recule.

Oui, monsieur.

MESSERSCHMANN

Et tout à coup un fracas épouvantable. Un téléphone qui grelotte dans le petit matin. C'est bien cela. C'est le temple qui vient de s'écrouler. Vous me comprenez?

JOSUÉ

Non, monsieur.

MESSERSCHMANN

Cela ne fait rien.

Il trouve un billet oublié dans sa poche et le lui donne.

Voilà mille francs. Oubliez tout ce que je vous ai dit.

Il sort en lui rappelant, farouche.

Sans beurre!

JOSUÉ s'incline, escamotant son billet.

Et sans sel!

LE RIDEAU TOMBE

CINQUIÈME ACTE

Même décor.
Mme Desmermortes et Horace sont en scène. Ils
semblent assez abattus.

MADAME DESMERMORTES
Cela ne m'a pas fait tellement rire.

HORACE
Moi non plus.

Un silence. Mme Desmermortes demande.

MADAME DESMERMORTES
Pourquoi avais-tu imaginé tout cela?

HORACE
Je m'ennuyais. Et puis j'étais agacé aussi par
les façons de cette petite fille trop gâtée avec
Frédéric. Il lui fallait une leçon.

MADAME DESMERMORTES

Elle l'a eue, et la petite Isabelle aussi, malheureusement.

HORACE

Oui, je le regrette pour elle. Elle est charmante.

MADAME DESMERMORTES

C'était une invention de cette folle de Capulat, tu ne l'aimes pas du tout?

HORACE

Pas du tout.

Un silence.

MADAME DESMERMORTES

Nous aussi nous l'avons eue d'ailleurs.

HORACE

Quoi?

MADAME DESMERMORTES

Notre leçon. Nous nous retrouvons là tous les
deux, tout bêtes, sans être sûrs d'avoir très bien
agi.

HORACE a un geste.

Bien agi, mal agi... Vous en êtes encore là?
Vous m'étonnez, ma tante. Je vous croyais beaucoup plus forte.

MADAME DESMERMORTES

Figure-toi que moi aussi je me suis crue long-temps plus forte et j'en viens là.

HORACE

Excusez-moi de ne pas être très galant. La charité c'est de votre âge. Les vieilles dames de votre rang ont des pauvres, comme elles ont des demoiselles de compagnie et des petits chiens. Je haïrais d'avoir des pauvres! D'abord, je trouve cela extravagant, de se conserver des misérables personnels comme des grenouilles d'expérience dans des bocaux. Si on s'intéresse à des pauvres, avec la fortune que vous avez, on les rend riches et on n'en parle plus.

MADAME DESMERMORTES

Ne fais pas la bête. Tu sais bien que ce n'est pas de cette charité-là que je veux parler. J'ai eu des pauvres, bien entendu, toute ma vie, comme j'ai eu des chevaux et des faces-à-main. On vit avec sa classe qu'on le veuille ou non, et, pour le courant, on fait comme les autres ou cela serait trop compliqué.

HORACE

Et vous regrettez de ne pas en avoir fait vi-voter davantage sur vos vieux jours?

MADAME DESMERMORTES

Certes non. Je pense en avoir encouragé bien assez dans cette triste carrière. Et ils baisaient le bas de ma robe au lieu de m'étrangler, quand j'arrivais dans leurs taudis avec mon kilo de bœuf et mes perles! Il faut avouer qu'ils n'ont pas beaucoup de classe, eux non plus. Ils me disaient invariablement que le bon Dieu me rendrait tout. Rassure-toi, si nous pouvons compter sur les religions à vie future, j'ai ma provision de pot-au-feu et de vieux lainages assurée pour mon éternité.

HORACE

Ce qui prouve que les riches n'y ont jamais trop cru au coup de la restitution céleste, c'est qu'ils ne donnent toujours aux pauvres que des pièces de dix sous et des ragoûts de bas morceaux. S'ils étaient certains du système, croyez bien qu'ils leur feraient de solides rentes et qu'ils leurs combineraient des petits menus soignés tout à fait comme pour eux.

MADAME DESMERMORTES

Bien sûr, mon petit, mais que veux-tu? C'est comme ces tombolas où il y a trop de numéros et où on prend seulement une petite chance, sans trop y croire, pour ne pas désobliger les organisateurs...

HORACE, soudain.

Qu'est-ce que vous croyez qu'elle va faire?

MADAME DESMERMORTES

Qui?

HORACE

Diana. Va-t-elle épouser Frédéric tout de même ou disparaître à jamais avec ses petits caprices et ses millions?

MADAME DESMERMORTES

Qu'est-ce que cela peut bien te faire?

HORACE

J'aimerais le savoir.

MADAME DESMERMORTES

Serais-tu content qu'elle épousât ton frère?

HORACE

Non certes. J'ai fait assez ce soir pour que ce mariage n'ait pas lieu.

MADAME DESMERMORTES

Bon petit Frédéric! C'est vrai qu'il aurait été

très malheureux avec cette jeune fille! Heureusement que tu veillais au grain. Tu es vraiment pour lui d'une sollicitude maternelle. Tu vois que tu as tes pauvres, toi aussi.

HORACE, avec humeur.

Oh! ce n'est pas seulement pour Frédéric. J'ai horreur des choses ratées. C'est physique. Et cette union-là l'était assurément.

MADAME DESMERMORTES

Tu es un philanthrope, te dis-je!

HORACE

Non. J'ai un peu de bon sens, j'en use, voilà tout, et j'essaie d'en faire profiter les autres, par surcroît. Cette Diana ne manque d'ailleurs pas de qualités. Sa race lui a donné quelque chose de plus qu'aux filles riches de chez nous. Elle est dure, elle est fantasque, mais son égoïsme même est amusant. Je ne suis ni bon, ni tendre, ni fidèle. Je ne m'en vais pas bêler pour trouver les qualités que je n'ai pas, chez les autres. J'aime assez les pouliches rétives au haras, même lorsqu'elles me fichent par terre. J'ai seulement pensé, dès que je l'ai vue, qu'il lui fallait un autre cavalier que le pauvre Frédéric.

MADAME DESMERMORTES

Pourquoi l'a-t-elle choisi?

HORACE

Est-ce que je sais, ma tante? Pour s'amuser à
le dévorer sans doute.

MADAME DESMERMORTES

Et si elle l'avait fait par dépit?

HORACE

C'est son affaire.

MADAME DESMERMORTES

Et si c'était aussi la tienne, Horace?

HORACE

Que voulez-vous dire?

MADAME DESMERMORTES

Que je ne suis plus qu'une vieille bête défi-
nitivement myope, mon tout bon, ou que tu es
amoureux d'elle comme elle de toi depuis le
premier jour.

HORACE

C'est grotesque! Et même si c'était vrai, je
préférerais périr de jaunisse, comme votre ami

Palestrini, dont vous parliez tout à l'heure, que de lui faire le plaisir de lui avouer cela!

MADAME DESMERMORTES

On ne périt pas de jaunisse. Je disais cela à cette vieille toquée dans le feu de l'action, pour faire bien. Palestrini se porte comme toi et moi. J'ai seulement appris qu'il s'était jeté dans la lagune l'année dernière pour une jeune fille qu'il aimait. C'était une jeune Allemande, une championne de natation, elle se l'est repêché elle-même et ils ont déjà un enfant.

HORACE crie soudain :

Diable! La lagune! Vous ne voyez pas une forme blanche, là-bas, au bord du grand bassin?

MADAME DESMERMORTES

Je suis myope comme une sauterelle, mon petit, mais cours tout de même, tu me fais peur.

Horace sort en courant, Capulat entre en trombe.

CAPULAT

Ah! madame! On cherche Isabelle partout. Sa mère est folle! On craint pour elle.

MADAME DESMERMORTES

Pourquoi?

CAPULAT

Elle a laissé sa petite bague, sa seule chose de valeur dans un papier avec un peu d'argent, sur la commode de sa chambre. Ah! madame, nous sommes tous coupables! M. Horace ne l'aimait pas!

MADAME DESMERMORTES

Capulat, vous pleurerez tout à l'heure! Regardez du côté du grand bassin, je n'y vois rien. Apercevez-vous une forme blanche?

CAPULAT

Ciel! C'est elle! Ah! malheureuse jeune fille! Elle suit le bord comme Ophélie! Elle se penche! Elle saute! Au secours! Elle va mourir!

MADAME DESMERMORTES

Non, Horace est là-bas et il n'y a pas assez d'eau. Mais elle pourrait bien prendre froid et lui aussi. Courez leur chercher des couvertures.

CAPULAT

M. Horace l'a vue, il plonge. Noble jeune homme! Il la ramène!...

Elle déclame soudain.

Tirée des sombres bords, comme Eurydice
[même,

Elle lui devait l'ombre, elle lui doit le jour...
Ah! si de tout cela pouvait naître l'amour!

MADAME DESMERMORTES lui crie hors d'elle.

Vous parlerez en vers tout à l'heure, vieille
folle! Allez donc chercher de quoi les couvrir.

Capulat sort en courant. Mme Desmermortes
appelle.

MADAME DESMERMORTES

Josué! Josué! Quelqu'un! Vite!

JOSUÉ paraît.

Madame?

MADAME DESMERMORTES

Il se passe un drame ce soir, mon pauvre,
une noyade. Faites faire du punch très fort à la
cuisine et auparavant roulez-moi vers le grand
bassin.

Josué commence à la rouler. Entrent Horace et
Isabelle enveloppés de couvertures et suivis
de Capulat déclamant.

CAPULAT

Les voilà revenus de leur sombre baptême,
Le flot noir et glacé va les rendre à l'amour,
Enfant tu te taisais et peut-être qu'il t'aime!

MADAME DESMERMORTES lui crie exaspérée.
Capulat! Capulat! Ne rimez pas toujours!

CAPULAT, mise hors d'elle par tant de romanesque.
Hélas! je ne peux plus, je ne peux plus,
[madame...
Tous ces événements ont bouleversé mon
[âme,
Et c'est plus fort que moi, elle s'exprime en
[vers!

MADAME DESMERMORTES, lui montrant la porte.
Alors sortez les faire hors du jardin d'hiver!

Capulat sort, déclamant en silence. Mme Desmermortes, à Josué.

Et vous, vite ce que je vous ai demandé!

Josué sort, à Isabelle.

Avez-vous froid, mon enfant?

ISABELLE
Non, madame, merci, je suis bien.

MADAME DESMERMORTES
Josué va vous rapporter du punch. As-tu
froid, toi?

HORACE
J'étouffe sous ce couvre-pied!

MADAME DESMERMORTES

Alors, profitons de ce que nous sommes seuls pour une minute. Restez ainsi. Nous avons des choses importantes à nous dire, tous les trois. Asseyez-vous.

HORACE, s'asseyant.

Nous avons l'air d'une conférence de chefs Peaux-Rouges!

MADAME DESMERMORTES

Et je vais vous proposer le calumet de la paix!

HORACE

C'est une idée. Vous n'avez pas une cigarette sèche?

MADAME DESMERMORTES

Tu fumeras tout à l'heure, tais-toi. Tu as assez dit de bêtises ce soir. Regardez-moi, mon enfant.

Isabelle la regarde.

Cela a de bons yeux et c'est encore plus jolie dépeignée. Pourquoi vous peignez-vous d'habitude?

ISABELLE

Cela se fait.

MADAME DESMERMORTES

Et de se jeter à l'eau au premier chagrin d'amour, cela se fait aussi? Je parie que vous savez nager?

ISABELLE

Oui.

MADAME DESMERMORTES

Vous voyez comme vous êtes absurde!

HORACE

C'est moi qui lui avais demandé de se jeter dans le bassin par amour pour Frédéric. Mais bien entendu, je l'avais décommandée tout à l'heure. Je ne sais pas ce qui lui a pris.

MADAME DESMERMORTES

Pourquoi vouliez-vous vous noyer?

ISABELLE

Pour mon compte.

HORACE

Ce n'était pas dans nos conventions, mademoiselle! Vous deviez faire ce que je vous disais!

ISABELLE

Ma journée était finie. Vous m'aviez envoyé

votre domestique pour me régler mon salaire. En dehors de mes heures de travail, j'étais bien libre de me tuer pour moi, peut-être?

MADAME DESMERMORTES

Elle a raison! D'autant plus que c'est bientôt le matin. Nous sommes dimanche. Si l'ouvrier ne peut même pas se tuer pour soi le dimanche, il faut faire la révolution tout de suite! Soyons sérieux. Regardez-moi encore, mon petit! Elle a des yeux ravissants. Une biche aux abois. Un Greuze. Tu sais que tu es un imbécile, Horace?

HORACE

Oui, ma tante.

MADAME DESMERMORTES

Il ne vous aime pas, mon enfant. Il ne vous aimera jamais. Il n'aimera jamais personne d'ailleurs si cela peut vous consoler. Amoureux peut-être comme un chat d'une souris, de temps en temps. Mais vous n'êtes même pas son type de souris, il vous croquerait trop vite, cela ne l'amuserait pas. Et je vais vous dire une bonne chose, il n'est pas votre genre de chat non plus. Vous croyez l'aimer, vous ne l'aimez pas. Regardez-le.

ISABELLE

Non.

MADAME DESMERMORTES

Faites-moi confiance, regardez-le, ce Peau-Rouge. Un Peau-Rouge vexé d'abord, n'est-ce pas risible? Vous pouvez le regarder, vous ne risquez plus rien.

Isabelle regarde Horace.

Et pas avec ce regard perdu-là. Il n'en vaut pas la peine, l'animal. Soyez très impartiale. Vous le trouvez si beau? C'est un assez joli portrait de jeune homme, certes, quand il ne pense à rien. On se laisserait prendre à ces yeux clairs, à ce nez pur, à cette bouche. Mais que la moindre de ses vilaines petites pensées se coule dedans — tenez, en ce moment, nous l'agaçons, il a envie de nous étrangler — et voilà que l'image se déforme. Regardez bien. C'est imperceptible mais c'est effrayant. Le nez se pince, un petit pli rageur tire la bouche, les yeux se mettent en vrille, et ce menton! Est-ce qu'on ne dirait pas tout à coup une très jolie vieille dame méchante? On n'est jamais si beau que cela, mademoiselle, quand on n'est pas très humain en même temps. Ce n'est pas tout d'avoir de jolis yeux, il faut qu'une petite lampe s'allume derrière. C'est cette petite lueur qui fait la vraie beauté.

HORACE se lève furieux.

En voilà assez, maintenant! Si vous voulez jouer aux portraits, je vais vous envoyer Frédéric!

MADAME DESMERMORTES

C'est une très bonne idée!

Horace sort.

Avec eux, ce qui est commode, c'est qu'on a toujours l'autre sous la main. Ce n'est pas Horace que vous aimez, mademoiselle, c'est son image. Et si vous êtes malheureuse ce soir, si vous avez voulu vous jeter tout habillée dans mes pièces d'eau, c'est parce que vous avez confusément senti qu'il n'y avait rien pour vous derrière cette image-là!

ISABELLE se cache la tête pour pleurer.

Oh! C'est terrible!

MADAME DESMERMORTES

Cela serait terrible, mon enfant, si l'exemplaire était unique, mais, heureusement, nous en avons deux.

A Frédéric qui entre.

Approche, mon garçon, et assois-toi à la place de ton frère. Vous pouvez le regarder, Isabelle. C'est le même. Voilà une jeune fille qui vient de se jeter dans le grand bassin et on ne peut pas lui faire dire pourquoi.

FRÉDÉRIC

Moi, je sais pourquoi. Mademoiselle, je ne peux rien sans doute pour votre peine. J'ai été lâche une dernière fois tout à l'heure. J'ai suivi Diana comme elle me l'ordonnait. Mais quand je l'ai eu rejointe, je n'ai pas pu m'empêcher de lui dire que sa conduite envers vous me faisait horreur. C'est fait maintenant, nos fiançailles sont rompues.

ISABELLE

Il ne fallait pas. Vous croyez que cela m'enlèvera ma peine que nous soyons tous malheureux en même temps?

FRÉDÉRIC

Je ne sais pas, mais ce que je sais, c'est que je ne peux pas aimer un être capable de quelque chose de laid.

MADAME DESMERMORTES

Elle non plus, figure-toi. Elle vient de s'apercevoir qu'elle ne pouvait pas aimer Horace.

FRÉDÉRIC

Ma vie est finie maintenant. J'ai vu le fond du cœur des jeunes filles.

ISABELLE sourit doucement.

Cette boue, ces rochers, ces fleurs mortes, comme dit votre frère...

FRÉDÉRIC

Triste plongée!

MADAME DESMERMORTES

Retire ton scaphandre, maintenant. Viens respirer un peu d'air frais sur cette terre. Il y en a encore, tu sais, par endroits.

FRÉDÉRIC

Je vais me retirer dans un désert pour y rêver à ce que je croyais être l'amour.

MADAME DESMERMORTES

Mademoiselle aussi. Tâchez que vos déserts ne soient pas trop éloignés l'un de l'autre. Vous vous ferez des petites visites, entre ermites.

FRÉDÉRIC

Parce que j'aurais pu lui pardonner d'être méchante...

ISABELLE

Je l'avais compris au premier moment qu'il l'était et je lui avais bien pardonné, moi...

FRÉDÉRIC

J'aurais pu lui pardonner d'être dure, égoïste, violente...

ISABELLE

Moi aussi...

MADAME DESMERMORTES

La seule chose que vous ne pouviez pas leur pardonner, en somme, c'était de ne pas vous aimer. On n'aime que son amour, mes enfants, et on court toute sa vie après cette fuyante petite image de soi. La folie c'est de vouloir absolument que tous les gens qu'on rencontre l'endossent et de crier au meurtre parce qu'elle ne leur va pas. Nous sommes des tailleurs insupportables. Le vêtement est tout coupé, nous ne voulons pas lui faire de retouches — alors nous essayons de tailler dans le client. Et s'il ne se laisse pas faire, nous crions au secours.

FRÉDÉRIC

Et personne ne vient!

MADAME DESMERMORTES

Parce que, non contents d'être aveugles, nous

sommes sourds. Nous braillons les uns à côté
des autres sans nous entendre et sans nous voir,
et nous nous disons : c'est le désert! Heureusement qu'il existe encore quelques vieilles
femmes qui ont renoncé à cette folie pour leur
compte et qui commencent à y voir clair, à
l'âge, hélas! où l'on met des lunettes. Vous
n'avez rien entendu, mademoiselle? Ce jeune
homme a crié au secours.

ISABELLE

Que puis-je pour lui?

MADAME DESMERMORTES

Faire un tour de parc avec lui en lui disant
pourquoi vous êtes si malheureuse. Il vous dira,
de son côté, pourquoi il va peut-être mourir.
Allez, mes enfants, soyez bien tristes, donnez-
vous le bras. Vous êtes vraiment seuls au monde.
Il n'y a pas plus désespérés que vous.

FRÉDÉRIC, sortant avec Isabelle.

J'ai été un fou, mademoiselle. J'ai cru qu'il
pouvait exister une femme tendre et sincère.

ISABELLE

Il n'y en a pas, monsieur! J'ai cru qu'on pou-

vait être grave et bon, qu'on pouvait être
fidèle...

FRÉDÉRIC ricane.

Fidèle! On est fidèle à soi-même et c'est tout.
On danse le pas de l'amour obstinément devant
sa glace. Moi, j'aurais voulu tout donner, mademoiselle.

ISABELLE

Tout donner, c'est facile à dire, monsieur!
mais c'est qu'ils ne veulent rien recevoir...

> **Ils** sont sortis. Mme Desmermortes les regarde
> s'en aller et constate.

MADAME DESMERMORTES

Bon. Pour ces deux-là, c'est fait dans cinq
minutes. Aux autres, maintenant.

> Elle appelle.

Horace!

HORACE entre.

Ma tante?

MADAME DESMERMORTES

L'affaire est dans le sac. Que décides-tu de ton
côté?

HORACE

Que voulez-vous que je décide? Je ne peux

pourtant pas aller trouver cette jeune fille sur
son monceau d'or. Tout le monde croirait que
c'est du père que je suis amoureux.

MADAME DESMERMORTES

Allons! Voilà du nouveau! Nous n'en finirons
jamais. Il le faudrait, pourtant. Cette petite
comédie commence à se faire longue.

HORACE

Que voulez-vous que j'y fasse? Je ne peux pas
me couvrir de ridicule pour la faire finir plus
tôt. A propos, je vous ai laissée dire tout à
l'heure, mais tout de même, c'est vrai que j'ai
l'air d'une jolie vieille dame méchante?

Entre Patrice Bombelles.

PATRICE BOMBELLES, allant à Horace.

Ah! vous voilà, monsieur, je vous cherchais.

MADAME DESMERMORTES

Que veut cet énergumène?

PATRICE BOMBELLES

Monsieur, puisque vous n'acceptez pas de
renoncer de plein gré à cette jeune fille...

Il le gifle.

HORACE, *le giflant aussi.*

Mais non, monsieur, mais non! Vous n'y êtes plus du tout. Savez-vous que je vais finir par vous battre pour tout de bon si vous continuez à être insupportable? Moi aussi, je sais sauter sur les gens.

PATRICE BOMBELLES

Mais enfin, monsieur, sacrebleu!

HORACE

Comment sacrebleu? Des insultes?

Il lui saute dessus.

LADY INDIA *entre affolée, criant.*

Patrice!

PATRICE BOMBELLES

Attention! La voilà! Ayons l'air très amis.

Il prend Horace par l'épaule.

Nous plaisantons, ma chère! Nous adorons plaisanter, tous les deux! Un peu d'exercice à l'aube, c'est excellent!

LADY INDIA

Ce n'est pas le moment de plaisanter, Patrice! Vous savez ce qu'il se passe? On me téléphone de Paris. Romuald a donné des ordres insensés. Il vend à Londres, il vend à New York, il vend à Vienne. Dans quelques heures il vendra à Paris. Il se ruine!

PATRICE BOMBELLES

Cela m'étonnerait bien de lui. Je vais téléphoner à son agent de change.

Il sort.

DIANA entre

Vous avez appris la nouvelle? Dans six heures, mon père sera ruiné.

HORACE

Non.

DIANA

Si.

HORACE

Qu'est-ce que vous allez faire?

DIANA

Etre pauvre. Que voulez-vous que je fasse d'autre, maintenant? Je suis venue vous le dire tout de suite, parce que j'ai pensé que cela vous ferait plaisir de me voir enfin humiliée!

HORACE

Cela me ferait beaucoup de plaisir sans doute,

mais malheureusement cela ne sera pas. Frédéric est riche et il vous épouse.

DIANA

Je ne veux pas de lui. Et d'ailleurs il ne veut plus de moi. Regardez-le, votre tendre Frédéric, là-bas, dans le parc avec cette petite aventurière. Elle n'a pas perdu son temps, celle-là, ce soir! C'est vous qui lui avez appris comment trouver un mari riche en une nuit, Horace? Il faudra m'apprendre, je vais en avoir besoin, maintenant, moi aussi.

HORACE

Rassurez-vous, cette science vous sera inutile, ma chère.

Il va sortir. Mme Desmermortes lui crie.

MADAME DESMERMORTES

Horace, que fais-tu?

HORACE

Je vais chercher mon frère. Il ne peut plus être question pour lui de rompre ses fiançailles. Maintenant que Diana est ruinée, l'honneur lui commande d'en faire sa femme.

DIANA crie, éplorée.

Mais je ne veux pas de lui!

HORACE

Tant pis!

Il sort.

MADAME DESMERMORTES

Allons bon! Il va tout embrouiller encore!

Capulat et la mère entrent habillées comme pour
un départ avec des petites valises (1).

CAPULAT

Quant à nous, nous partons! toutes les deux
[brisées,
Nous renonçons au monde et chaussons nos
[sabots!
Adieu la vie de luxe aux heures irisées!
Nous rentrons à Maubeuge enseigner le piano!

1. A la représentation à Paris, cette scène a été modifiée pour
ne pas rompre le rythme rapide de l'acte. Il est prudent d'adop-
ter cette version pour la représentation. Capulat et la mère
entrent simplement en criant : CAPULAT : « Madame! une nouvelle, une grande nouvelle. » LA MÈRE : « Elle est casée! » Alors
entre Romainville avec son bouquet. Capulat et la mère tombent
dans les bras l'une de l'autre chaque fois qu'elles croient Isabelle pourvue d'un mari. Quand tout le monde sort pour aller
voir le feu d'artifice, elles s'avancent au public et disent seulement les quatre premiers vers, sur une petite ritournelle, s'en
allant à reculons, mutines, en envoyant des baisers d'adieu.

CAPULAT

Quant à nous, nous partons! toutes les deux brisées,
Nous renonçons au monde et chaussons nos sabots!

LA MÈRE

Adieu la vie de luxe aux heures irisées!
Nous rentrons à Maubeuge enseigner le piano!

LA MÈRE

Vous direz de ma part à la chère gamine
Que je renonce à tous mes espoirs insensés!
Pauvre, mais honorée, auprès de Géraldine
Je vivrai dans le souvenir des jours passés!
Je la poussais au luxe et la poussais au vice,
Pour elle je rêvais ce que je n'ai pas eu!
Je ne la pousse plus! Qu'elle file droit puisqu'
Elle a décidément du goût pour la vertu!

Elles reculent gracieusement enlacées, mêlant leurs
anglaises.

CAPULAT

Adieu! Ne bougez pas! Nos deux ombres s'ef-
[facent!
Ne nous en veuillez pas d'avoir trop cru
[l'amour!
Nous fuyons! Oubliez nos désuètes grâces...
Cette nuit devait bien finir! Voici le jour...

Elles disparaissent et en effet le jour se lève.
Musique de marche nuptiale à l'orchestre.
Entre Romainville en jaquette et gants blancs
avec un bouquet. Il va à Mme Desmermortes.

ROMAINVILLE

Ma chère amie. Veuillez d'abord excuser ce
costume, mais voyant poindre le matin, j'ai
quitté mon habit et j'ai passé cette jaquette qui

m'a paru plus indiquée pour venir vous annoncer cette bonne nouvelle : ma nièce n'était pas ma nièce comme votre gredin de neveu m'avait obligé à vous le faire croire, mais elle est tout de même de la famille, parce que, tout bien pesé, je l'épouse!

MADAME DESMERMORTES

Mon tout bon, je serais la première à vous féliciter, mais j'ai l'impression que vous arrivez trop tard.

ROMAINVILLE

Comment, trop tard? Il est cinq heures du matin.

MADAME DESMERMORTES, à Isabelle et Frédéric
qui entrent enlacés.

Eh bien, mes enfants, quelles nouvelles? Avez-vous retaillé le costume?

ISABELLE

Il allait, madame! Il allait!

FRÉDÉRIC

Ma tante, comme j'ai pu être fou! Pardon, Diana, mais moi non plus, je ne vous aimais pas.

ISABELLE

Comme j'ai pu être sotte, madame! C'était lui, bien sûr, que j'aimais.

MADAME DESMERMORTES

Romainville, vous trouverez une autre nièce! Pour celle-là, vous serez son témoin.

ROMAINVILLE tombe assis.

C'est effrayant! Je m'étais fait à cette idée.

MADAME DESMERMORTES, à Josué
qui entre portant un plateau.

Josué, donnez-lui votre punch!

Romainville boit le punch.

Mais où est Horace? Qu'on aille me le chercher tout de suite. Il a fait assez souffrir cette jeune personne pour ce soir.

A Diana.

Mon enfant, soyez sans crainte, il vous aime, il me l'a dit.

LADY INDIA

Tenez! Il est là-bas dans le parc, il se sauve!

MADAME DESMERMORTES

Il se sauve? Josué, rattrapez-le tout de suite et ramenez-le ici!

Josué sort. A Diana.

C'est une tête de bois, mais il sait que la pièce est finie, il va bien être obligé de revenir.

DIANA

Et si c'était vrai qu'il ne m'aimait pas?

MADAME DESMERMORTES

C'est impossible! Tout doit finir bien, c'est convenu. D'ailleurs le voilà qui arrive. Eh bien, Horace?

Tout le monde regarde du côté où Horace doit paraître. C'est Josué qui entre.

FRÉDÉRIC

J'étais sûr qu'il ne viendrait pas!

JOSUÉ

M. Horace m'a remis ce billet pour vous, madame.

MADAME DESMERMORTES

Lisez-le-nous à haute voix, mon ami.

JOSUÉ met ses lunettes et commence à lire.

« Ma tante, pour des raisons que vous comprendrez tous, je ne peux pas me joindre à vous au milieu de l'allégresse générale; je ne l'ai jamais tant regretté. Mais j'aime Diana puisqu'elle est pauvre. Rien ne nous sépare plus. Je l'épouse. Qu'elle vienne me retrouver au fond du parc. »

MADAME DESMERMORTES, à Diana transfigurée.

Courez vite!

DIANA

Merci, madame.

Diana sort. Entre Messerschmann avec un petit pardessus, un petit chapeau et une petite valise. Petit motif goguenard à l'orchestre.

MADAME DESMERMORTES

Mais qui vient là?

MESSERSCHMANN

C'est moi, madame. Je viens vous faire mes adieux.

MADAME DESMERMORTES

Mais cette valise, ce costume?

MESSERSCHMANN

Je les ai empruntés à votre maître d'hôtel. Je n'avais plus rien à me mettre. Je suis ruiné. Je rembourserai en plusieurs années. Je retourne à Cracovie y ouvrir un petit commerce de tailleur.

LADY INDIA pousse un cri et se jette dans ses bras.

Ah! mon amour, comme c'est grand! Comme c'est beau! Comme tu m'aimes! Car c'est pour moi, n'est-ce pas, c'est pour moi que tu t'es ruiné? Je te suivrai, je te suivrai, pieds nus jusqu'au fond de ta Sibérie!

Elle se déchausse.

MADAME DESMERMORTES, aux autres.
Elle confond tout.

LADY INDIA, qui a mis aussi son écharpe autour de sa tête, à la russe.
Je serai humble, maintenant! Tu vois, je cache mes cheveux à la russe. Ah! que je sois punie d'avoir douté de toi! Que Dieu m'abaisse et m'humilie! Je renonce au luxe, je cuirai pour toi, cher, dans ta petite isba, je serai ta squaw, veux-tu?

MADAME DESMERMORTES
Elle n'a aucune idée de la géographie, mais ne la détrompons pas. Cela serait trop long.

Un fracas épouvantable soudain, des éclairs, des fusées. Tout le monde se retourne. Patrice Bombelles entre, criant.

PATRICE BOMBELLES

Ça y est! C'est commencé!

LADY INDIA, abîmée.

Qu'est-ce que c'est? Le feu du ciel, déjà?

MADAME DESMERMORTES

Non. Nous n'en méritons pas tant, ma chère. Relevez-vous. C'est mon feu d'artifice que tous ces événements ont mis un peu en retard. Venez, mes amis, allons en contempler le spectacle pour ne pas vexer mon jardinier. Cela doit être très curieux, en plein jour, un feu d'artifice, on ne doit rien y voir du tout.

Au moment où tous sortent, Josué rentre et tire Messerschmann par la manche.

JOSUÉ

Monsieur, c'est un télégramme.

MESSERSCHMANN, l'ouvrant.

Qui peut bien s'intéresser encore à moi au point de m'envoyer un télégramme? Une lettre aurait suffi!

Il lit et soupire.

Comme c'est drôle...

JOSUÉ, compatissant.

C'est fini, monsieur? Si monsieur a encore

besoin de quelque chose? Je ne suis pas sans avoir quelques petites économies...

MESSERSCHMANN

Eh bien, non. On ne se ruine pas comme cela. Ils ont cru à une manœuvre de Bourse. Ils ont tous acheté. Je suis deux fois plus riche!... Mais, je vous en prie, ne le leur dites pas tout de suite...

JOSUÉ

Je suis tout de même content pour monsieur. Cela m'aurait fait gros cœur de ne pas servir monsieur ce matin.

> Il s'est mis au garde-à-vous pendant que Messersch- mann sort, et demande.

Sans beurre?

MESSERSCHMANN

Oui, mon ami. Mais ce matin, exceptionnel- lement, vous me mettrez un peu de sel.

JOSUÉ, le suivant.

Ah! cela fait tout de même plaisir de voir que monsieur reprend goût à la vie...

> Ils sont sortis, le rideau tombe sur une petite musique pas trop triste.

FIN DE L'INVITATION AU CHATEAU

BRODARD ET TAUPIN — IMPRIMEUR — RELIEUR
Paris-Coulommiers. — France.
05-414-II-1-6910 - Dépôt légal n° 2609, 1er trimestre 1963.
LE LIVRE DE POCHE - 4, rue de Galliéra, Paris.

LE LIVRE DE POCHE

VOLUMES PARUS ET A PARAITRE EN 1963

JANVIER

ÉMILE ZOLA
Le Docteur Pascal.

RAYMOND QUENEAU
Zazie dans le métro.

DANIEL-ROPS
L'Ame obscure.

FRANÇOISE SAGAN
Un Château en Suède.

KATHRYN HULME
Au risque de se perdre.

FÉVRIER

JEAN GIRAUDOUX
La Guerre de Troie n'aura pas lieu.

JAMES JOYCE
Gens de Dublin.

E. HEMINGWAY
Le Vieil Homme et la Mer.

PIERRE BENOIT
Monsieur de la Ferté.

★★★
Madame Solario.

JEAN HOUGRON
La Terre du barbare.

LE LIVRE DE POCHE
EXPLORATION

A PARAITRE DANS LE 2e TRIMESTRE 1963

LE LIVRE DE POCHE
CLASSIQUE

VOLUMES PARUS ET PARAITRE DANS LE 1er SEMESTRE 1963

LE LIVRE DE POCHE
ENCYCLOPÉDIQUE

A PARAITRE DANS LE 2e TRIMESTRE 1963

GUY de POURTALÈS

LE LIVRE DE POCHE
HISTORIQUE

A PARAITRE DANS LE 4e TRIMESTRE 1963

CORNÉLIUS RYAN
Le Jour le plus long (*).

m.s

LE LIVRE DE POCHE
POLICIER

VOLUMES PARUS ET A PARAITRE
DANS LE 1er SEMESTRE 1963